ROME

ıard

Bienvenue à Rome !

Une carte générale de la ville pour visualiser les 6 grands quartiers développés dans le guide. Toutes les informations pratiques, les bons plans et les conseils pour vivre au rythme de la ville.

Découvrir Rome à travers ses 6 grands quartiers

A Campo dei Fiori / Pantheon / Piazza Navona

B Vaticano / Piazza Cavour / Prati

C Testaccio / Aventino / Trastevere / Ghetto

D Tridente / Piazza del Popolo / Villa Borghese

E Quirinale / Esquilino / Termini

F Caracalla / San Giovanni / Colosseo

Pour chaque quartier, une sélection d'adresses (restaurants – classés par ordre croissant de prix –, cafés, bars, boutiques), un choix de sites et de monuments précédés d'une étoile (★) et une carte pour repérer chaque lieu grâce au carroyage (**A** B2).

Transports et hôtels à Rome

Une carte des transports et toutes les informations utiles pour se déplacer dans la ville. Une sélection d'hôtels classés par gamme de prix.

Index thématique

Classés par thème, tous les lieux et adresses présentés dans cet ouvrage.

Quartiers

Depuis 1921, le centre-ville de Rome est découpé en 22 *rioni* (Trastevere, Monti, Testaccio...). Points de repère usuels (cf. carte) : les noms des collines (Quirinale, Esquilino, Aventino) et d'autres toponymes tel Il Tridente (zone formée des 3 artères partant de la Piazza del Popolo).

Cité du Vatican

Depuis 1929, elle possède sa propre monnaie, ses ambassades et même sa poste, plus rapide que la poste italienne (boîtes bleues).

RIONE MONTI

Messes chantées
San Giovanni in Laterano (24 juin), San Pietro (29 juin), Gesù (31 déc.).
Tenue vestimentaire
Torse, épaules et cuisses doivent être couverts.

Fêtes religieuses

San Giuseppe
Le 19 mars : beignets et crêpes (quartier Trionfale).
Semaine sainte
Le ven. : chemin de croix du Colisée au Palatin.
Le dim. : à 12h, bénédiction papale (piazza San Pietro).
San Giovanni
Le 23 juin : dégustation traditionnelle d'escargots.
Le 24 juin : messe chantée à San Giovanni in Laterano.
San Pietro e san Paolo
Le 29 juin : messe chantée à San Pietro.
Madonna della Neve
Le 5 août : pluie de pétales de fleurs blanches à Santa Maria Maggiore.

Immaculée Conception
Le 8 déc. : fleurissement de la Vierge (Piazza di Spagna).
Noël
Le 24 déc. : messe de minuit dans les églises. Le 25 déc. : bénédiction pontificale.

Musées

Horaires
Généralement fermés le lundi. Dernières entrées 1 h. avant la fermeture.
Tarif réduit
Ticket global
→ *Prix 20 €/7 j.*
Sections du Museo Nazionale Romano (Palazzo Altemps, Palazzo Massimo alle terme, Terme di Diocleziano, Crypta Balby), Colosseo, Palatino, Terme di Caracala, Tomba die Cecilia Metella, Villa dei Quintelli.
Itinercard
→ *Prix 12,91 €/7 j.*
Musées de la commune de Rome.

Gratuité
Européens de - de 18 ans ou de + de 65 ans.
Settimana dei Beni Culturali
→ *Tél. 06 589 98 44 Avril*
Musées et sites gratuits, ouverture de certains lieux fermés au public.

Shopping

Horaires
Lun.-ven. 10h-19h (ou 20h). Certains magasins font une pause de 13h à 15h. Les épiceries ferment à 19h30-20h.
Soldes
Début janv. et début juil.
Grands magasins
La Rinascente (A F2)
→ *Largo Chigi, 20 Tél. 06 679 7691 Lun.-sam. 9h30-22h*
Le 1er grand magasin inauguré en 1887. Prêt-à-porter, accessoires...
Coin (F F3)
→ *Piazzale Appio, 7 Tél. 06 708 00 20*

Antiquité

Foro Romano, Fori Imperiali (F B1)
Le cœur de la cité.
Palatino (F B2)
La résidence impériale.
Colosseo (F C2)
L'amphithéâtre colossal
Museo nazionale romano (E E2)
Dans le palazzo Altemps, le palazzo Massimo et les Terme di Diocleziano.
Terme di Caracalla (F C4)
Les mieux conservés des thermes de la ville.

Renaissance et maniérisme

Cappella Sistina (B C3)
La célèbre voûte de Michel-Ange.
Chiesa del Gesù (A E4)
Le modèle des églises jésuites.
Palazzo Farnese (A B4)
L'élégance Renaissance.
Piazza del Campidoglio (F A1)
La majestueuse place dessinée par Michel-Ange.
Tempietto (C B3)
→ *San Pietro in Montorio*
Le bijou Renaissance de Bramante.

Baroque

Piazza San Pietro (D C3)
La colonnade du Bernin.
Piazza Navona (A C3)
La plus belle mise en scène baroque de Rome
Fontana di Trevi (A A2)
L'art de la démesure.
San Luigi dei Francesi (A D3)
Trois œuvres majeures du Caravage.

La Piazza Navona épouse avec élégance le tracé du stade de Domitien. Au centre, la fontaine des Quatre-Fleuves et, tout autour, d'immenses terrasses pour prendre un verre au soleil. Pour un peu plus d'intimité, on se perdra dans les ruelles situées à l'ouest de la place : Via della Pace, Via del Fico... Il faut lever les yeux, pour découvrir un balcon verdoyant ou un irréel jardin suspendu. À l'est, le colossal Pantheon niché sur une toute petite place. Le soir, quand se disperse la foule des curieux, le lieu retrouve son âme et, plus bas, le Campo dei Fiori reprend vie le temps d'un apéritif qui se prolonge jusque tard dans la nuit.

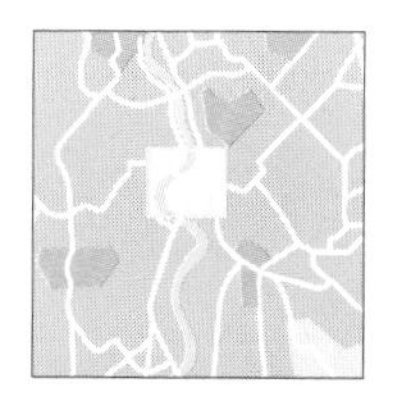

DAR FILETTARO

LA TRINCHETTA

RESTAURANTS, PIZZERIA

Da Baffetto (A B3)
→ *Via del Governo Vecchio, 114 Tél. 06 686 16 17 Tlj. 18h30-1h Fermé 15 j. en août*
Toute la saveur de la pizza romaine : une pâte fine, légère, croquante et fondante à la fois, que les Romains aiment juste recouverte de mozzarella et de *prosciutto*. Grande terrasse accueillante, plein soleil ou ombragée, toujours bondée (mieux vaut venir tôt ou très tard). 15 €.

Dar Filettaro a Santa Barbara (A C4)
→ *Largo dei Librari, 88*
Tél. 06 686 40 18
Lun.-sam. 17h30-23h10
Fermé en août
Près du Campo dei Fiori, une placette de village, une petite église en point de mire et 10 tables en terrasse pour se régaler de beignets de morue. À déguster avec les doigts, accompagnés d'*antipasti*. Environ 15 €.

Da Alfredo e Ada (A B3)
→ *Via dei Banchi Nuovi, 14*
Tél. 06 687 88 42
Lun.-ven. 13h-16h, 20h-22h
Ici, pas d'enseigne ni de décoration tape-à-l'œil, juste une salle à manger ouverte sur la rue. Pour ce qui est du menu, c'est Ada, une grand-mère dynamique, qui décide ! D'emblée elle vous sert un pichet du *vino bianco della casa*, puis une assiette de pâtes suivie d'un plat de viande : *involtini* (paupiettes), saucisses aux lentilles... Les habitués parlent fort, rient beaucoup et vont parfois se servir eux-même dans le frigo ! Addition à la bonne mine du client (15 € environ avec le vin).

Quelli della Taverna (A D4)
→ *Via dei Barbieri, 25*
Tél. 06 686 96 60
Mar.-ven. 12h30-15h, 20h30-0h ; sam.-dim. 20h30-0h
Dans une ruelle donnant sur le Largo Argentina, une taverne à l'ancienne et de grandes tablées animées.
Copieux *antipasti misti* (fromages, charcuteries, légumes grillés) et pâtes fraîches *al dente* (celles aux cèpes et aux truffes frôlent le sublime !) 20 €.

L'Orso' 80 (A C2)
→ *Via dell' Orso, 33*
Tél. 06 686 49 04 Mar.-dim. 13h-15h30, 19h30-23h30
Fermé en août
La bonhomie du patron

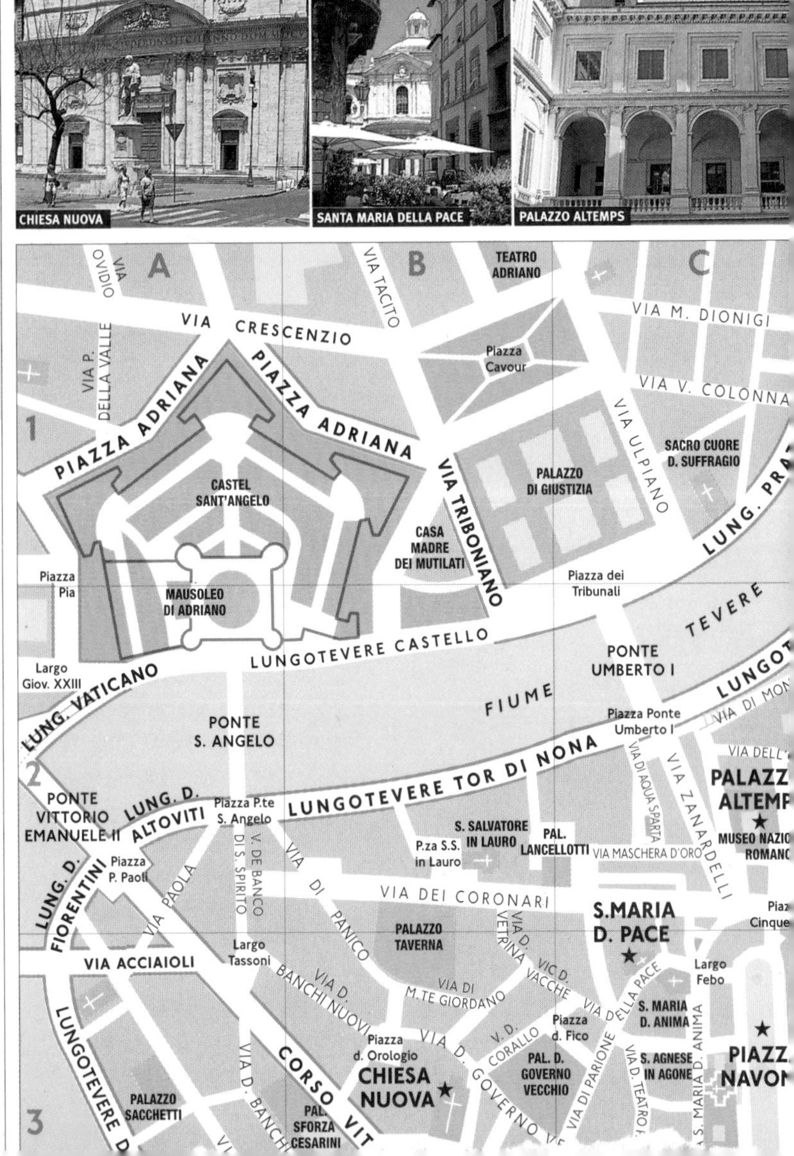
CHIESA NUOVA
SANTA MARIA DELLA PACE
PALAZZO ALTEMPS
A
B
C
1
2
3
VIA OVIDIO
VIA TACITO
TEATRO ADRIANO
VIA M. DIONIGI
VIA CRESCENZIO
VIA P. DELLA VALLE
Piazza Cavour
VIA V. COLONNA
PIAZZA ADRIANA
VIA ULPIANO
SACRO CUORE D. SUFFRAGIO
CASTEL SANT'ANGELO
VIA TRIBONIANO
PALAZZO DI GIUSTIZIA
LUNG. PRA
CASA MADRE DEI MUTILATI
Piazza Pia
MAUSOLEO DI ADRIANO
Piazza dei Tribunali
TEVERE
LUNGOTEVERE CASTELLO
PONTE UMBERTO I
Largo Giov. XXIII
LUNG. VATICANO
FIUME
LUNGOT
PONTE S. ANGELO
Piazza Ponte Umberto I
VIA DI MON
VIA DELL'
LUNGOTEVERE TOR DI NONA
VIA DI AQUA SPARTA
VIA ZANARDELLI
PALAZZ ALTEMP
PONTE VITTORIO EMANUELE II
LUNG. D. ALTOVITI
Piazza P.te S. Angelo
S. SALVATORE IN LAURO
PAL. LANCELLOTTI
MUSEO NAZIO ROMANO
P.za S.S. in Lauro
VIA MASCHERA D'ORO
LUNG. D. FIORENTINI
Piazza P. Paoli
VIA PAOLA
V. DE BANCO DI S. SPIRITO
VIA DI PANICO
VIA DEI CORONARI
S.MARIA D. PACE
Piaz Cinque
PALAZZO TAVERNA
VIA D. VETRINA
Largo Tassoni
VIA ACCIAIOLI
VIA D. BANCHI NUOVI
VIA DI M.TE GIORDANO
VIC. D. VACCHE
VIA DELLA PACE
Largo Febo
S. MARIA D. ANIMA
Piazza d. Fico
Piazza d. Orologio
V. D. CORALLO
VIA D. GOVERNO VE
PAL. D. GOVERNO VECCHIO
VIA DI PARIONE
VIA D. TEATRO P.
S. AGNESE IN AGONE
S. MARIA D. ANIMA
PIAZZ. NAVON
LUNGOTEVERE D
CHIESA NUOVA
CORSO VIT
VIA D. BANCHI
PALAZZO SACCHETTI
PAL. SFORZA CESARINI

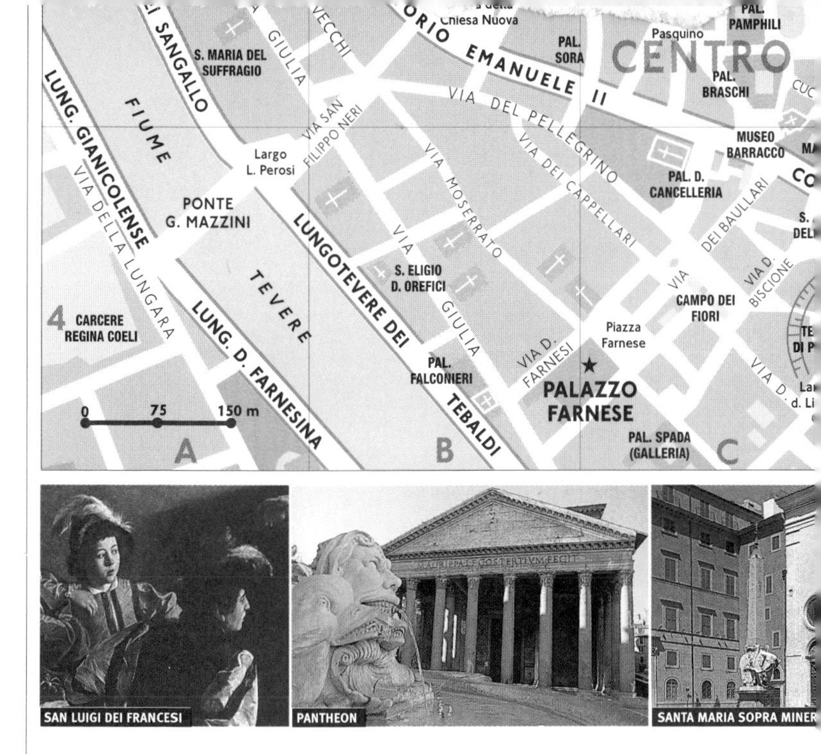

SAN LUIGI DEI FRANCESI

PANTHEON

SANTA MARIA SOPRA MINER

★ Chiesa Nuova (A B3)
→ *Corso Vittorio Emanuele II*
Tél. 06 687 52 89
Tlj. 8h-12h, 16h30-19h
Prêtre de la Contre-Réforme, fondateur de la congrégation de l'Oratoire, Philippe Neri fait édifier la Chiesa Nuova en 1575. Fresques de Pierre de Cortone et de Barocci, chefs-d'œuvre de Rubens (la *Mise au tombeau* d'après le Caravage)... Une splendeur baroque qui contraste avec la volonté de simplicité de son fondateur. À droite de l'église, l'oratoire des Philippins où, depuis le XVIIe siècle, se donnent des oratorios.

★ Santa Maria della Pace (A C3)
→ *Via della Pace, 5*
Tél. 06 686 11 56
Une étonnnante mise en scène baroque ! En 1656 Pierre de Cortone repense la place, et, en un subtil jeu de courbes et contre-courbes, intègre admirablement l'église (XVe s.) à l'espace. À voir : la chapelle Chigiles, les *Sibylles* de Raphaël, la chapelle Ponzetti et le cloître, première réalisation de Bramante à Rome.

★ Palazzo Altemps (A C2)
→ *Piazza di Sant'Apollinare*
Tél. 06 683 37 59
Mar.-dim. 9h-19h
Dans ce palais du XVe siècle, a pris place une section de sculptures du Musée national romain : originaux grecs (*Trône Ludovisi*, Ve s. av. J.-C.) et remarquables copies latines.

★ Sant'Agostino (A D2)
→ *Piazza Sant'Agostino*
Tél. 06 68 80 19 62
Tlj. 7h45-12h, 16h-19h15
À voir dans cette église (XVe s.), 2 œuvres majeures : *Le Prophète Isaïe*, fresque de Raphaël et la *Madone des pèlerins* du Caravage.

★ Piazza Navona (A C3)
La place doit son élégante forme oblongue au stade de Domitien (Ier s.) sur lequel elle a été constru
Au XVIIe siècle, Innocent décide de la remodeler
Borromini rebâtit le pala et l'église Sant'Agnese i Agone, et le Bernin conç la colossale Fontana dei Fiumi (1651) (fontaine des quatre fleuves). Le génie de ces grands maîtres a élevé la place a rang de pur joyau baroqu

★ San Luigi dei Francesi (A D3)
→ *Piazza San Luigi dei Francesi, 5 Tél. 06 68 82 7*
Tlj. sauf jeu. 8h30-12h30, 15h30-19h
Dans la chapelle Contare
Saint Matthieu et l'Ange
Vocation de saint Matth

ROME DE NUIT

Campo dei Fiori (A C4)
Jolie place du *centro storico*, animée jusque tard dans la nuit : bars, restaurants...
Trastevere (C C3)
Bars, *osterie* populaires autour de Santa Maria in Trastevere.
San Lorenzo
Quartier des étudiants à l'est de Termini : bars, restaurants...
Monte Testaccio (C C5)
Repaire des noctambules : bars, restaurants, discothèques, et le Villagio Globale, le plus important des *centri sociali* (lieux de culture alternative).

-sam. 9h30-20h
:-à-porter, parfumerie, eublement...

STAURANTS

aires
.-sam. 12h-15h, 20h-23h.
nbreux restaurants nés le dim. et en août.
ttoria, *osteria*, taurant
s prétention, la *trattoria* '*osteria* servent une sine familiale romaine.
estaurant pratique des plus élevés, mais offre cuisine plus raffinée.
pléments
tains établissements urent en sus le pain et ouvert (*pane e coperto*), iron 1 €/pers.), ainsi le service (10 %).
rix du supplément doit indiqué sur la carte.
te, menu
epas commence par *antipasti* (légumes és, charcuteries, fromages...), suivi des *primi piatti* (pâtes ou risotto) et des *secondi piatti* (plats de viandes ou de poissons) et se termine par le *dolce* (dessert).
Repas sur le pouce
L'*enoteca* : bar à vin servant sandwichs, fromages, charcuteries et plats cuisinés...
La *pizza al taglio :* à la découpe, vendue au poids.
Dans les bars, à tous les coins de rue : *cornetti* (croissants), *bombe* (beignets), panini, *tramezzini* (sandwichs de pain de mie)...

CONCERTS, SPECTACLES

Guichets réservation
Ricordi (B D1)
→ *Viale Giulio Cesare, 88*
Magasin de disques, achat de billets sur place.
Orbis (E D3)
→ *Piazza dell'Esquilino, 37*
Tél. 06 474 47 76
Achat de billets sur place.
Réductions
Théâtre, concerts
Pas de réduction en réservant sur place (10 % d'arrhes). Retenir plusieurs mois à l'avance pour le Teatro dell'Opera.
Cinéma
Tarif réduit 1 apr.-midi/sem. et à toutes les séances du mercredi.
Informations spectacles, cinéma
TrovaRoma
→ *Tous les jeudis*
Supplément de la *Repubblica* (culture, cinéma).
Roma c'è
→ *Le mercredi Prix 1 €*
Toutes les infos spectacles, concerts, théâtre, cinéma...
Time Out Roma
→ *Mensuel Prix 2 €*
Disponible en anglais et en italien...
Tous les bons plans.

FESTIVALS D'ÉTÉ

Nombreuses manifestations durant l'été romain. Renseignements (prix et dates précises) auprès de la commune de Rome.
→ *Tél. 06 36 00 43 99*
Musique classique
Concerti nel parco
→ *Fin juin-fin juil.*
Ensemble de concerts en plein air dans le parc du Pincio **(D** C3), de la villa Celimontana **(F** C3) ou dans le cloître de Trinità dei Monti **(D** D4).
Teatro dell'Opera
→ *Tél. 06 48 16 02 55*
Tlj. 9h-15h (rés.)
Opéra en plein air au Stadio Olimpico (quelques concerts ont encore lieu aux Terme di Caracalla).
Rock, jazz, world...
Fiesta Campannelle
→ *Via Appia Nuova, 1245*
15 juin-août
Festival de musique latine sur le champ de courses

FONTAINES

Fontana di Trevi (E A2)
La plus exubérante : deux tritons guidant des chevaux marins vers l'océan.
Fontana del Tritone (E B1)
Sur la piazza Barberini, (le Bernin) : le Triton soufflant dans un coquillage.
Fontana dei Quattro Fiumi (A C3)
La plus célèbre du Bernin : allégorie des fleuves des 4 continents.
Fontana delle Tartarughe (C D2)
La plus charmante : 4 éphèbes portant à bout de bras 4 tortues.

PIAZZA DI SPAGNA / TRINITÀ DEI MONTI

PARCO DELLA VILLA BORGHESE

Campanelle : concerts, gastronomie...
Jazz and image (F C3)
→ *Villa Celimontana*
Juin-août
Le club Alexanderplatz se délocalise dans le parc de la villa Celimontana : concerts de jazz, projections de films...
Théâtre, cabaret
All'ombra del Colosseo (F D1)
→ *Parco del Colle Oppio*
15 juin-31 août
Cabaret, musique, dans les jardins du Colle Oppio.
Lectures
Invito alla lettura (**B** F2)
→ *Juin-août Gratuit*
Dans les jardins du Castel Sant'Angelo, 30 000 m² dédiés au livre.
Cinéma en plein air
Cineporto
→ *Juil.-août*
Dans le parc du Stadio Olimpico : 2 films par soirée sur chacun des écrans.
Cinema Nuovo Sacher (**C** C4)
→ *Largo Ascianghi, 1*
1er-31 Août
Le cinéma de Nanni Moretti sort à l'air libre.

INFORMATIONS TOURISTIQUES

Informations touristiques
→ *Tél. 06 360 043 99*
Services de la commune de Rome : 13 kiosques verts dans toute la ville et un standard téléphonique en 4 langues.
Réservations hôtels
→ *Tél. 06 699 1000*

TÉLÉPHONE

Depuis la France
Composer le 00 39 + n° (avec le 0 devant).
Depuis l'Italie
Désormais conserver le 0 devant l'indicatif de la ville (ex : Rome 06)
Numéros utiles
Police
→ *Tél. 112*
SAMU
→ *Tél. 118*

INTERNET

Sites sur Rome
→ *www.comune.roma.it*
Commune de Rome.
→ *www.romaonline.net*
Très complet (nombreux liens), bientôt en français.
→ *www.office-de-tourisme.com*
Un site complet en français.
→ *www.enit.it*
Un site en français pour tout savoir en histoire, art, nature, loisirs...
Et organiser son séjour.
Cybercafé
Internet café
→ *Via dei Marrucini, 12*
Tél. 06 445 4953
Tlj. 4 €/h
Lun.-ven. 9h-2h,
sam.-dim. 17h-2h

HORS LES MURS

Centrale Montemartini
→ *Via Ostiense, 106*
Tél. 06 57 48 030
Mar.-dim. 9h30-19h
Statuaire antique dans une ancienne centrale électrique : détonant !
EUR
→ *M° EUR*
La Rome de Mussolini : le Palazzo della Civilità dit le "Colisée carré".
Via Appia Antica
→ *Bus n° 218*
La voie romaine : tombes, catacombes et, plus loin, ses pavés antiques.
Catacombe di San Callisto
→ *Tél. 06 513 015 80*
Tlj. sauf mer. 8h30-12h 14h30-17h
Plus de 20 km de galeries funéraires.
Catacombe di San Sebastiano
→ *Tél. 06 788 70 35*
Lun.-sam.
Les 1eres sépultures chrétiennes.
Ostia antica
→ *Tél. 06 563 580 99*
M° EUR puis train (30 min)
Mar.-dim. 8h30-19h30
Vestiges de l'ancien port de Rome.
Tivoli
→ *À 30 km de Rome*
M° Ponte Mammolo puis bus Cotral (30 min)
Villa Adriana
→ *Tél. 07 74 53 02 03 Tlj.*
La somptueuse villa d'Hadrien, véritable musée en plein air.
Villa d'Este
→ *Tél. 07 74 31 20 70*
Mar.-dim.
Le plus extraordinaire des jardins à l'italienne : terrasses, grottes et 500 fontaines.

MUSEO E GALLERIA BORGHESE
PARCO DELLA VILLA BORGHESE
Porta Pinciana
MURO TORTO
VIA PINCIANA
CORSO D'ITALIA
VIA SALARIA
V.LE REGINA MARGHERITA
VILLA ALBANI
VIA NOMENTANA
VILLA TORLONIA
Piazza Bologna
V. CATANIA
Porta Pia
VIALE DEL POLICLINICO
VIALE REGINA ELENA
VIA TIBURTINA
CIMITERO DEL VERANO
S. LORENZO
S. LORENZO FUORI LE MURA
VIA VENETO
E
TRINITÀ DEI MONTI
VIA XX SETTEMBRE
VIA CERNAIA
Piazza Indipendenza
Piazza Barberini
Piazza della Repubblica
Piazza dei Cinquecento
QUIRINALE
VIA D. QUIRINALE
STAZIONE ROMA TERMINI
VIA NAZIONALE
S. MARIA MAGGIORE
CIRCONV. TIBURTINA
Porta Tiburtina
Piazza Venezia
VIA CAVOUR
Piazza Vittorio Emanuele II
F
ESQUILINO
VIA D. FORI IMPERIALI
MERULANA
VIALE A. MANZONI
Porta Maggiore
VIA PRENESTINA
FORO ROMANO
COLOSSEO
VIA LABICANA
PALATINO
S. GIOVANNI IN LATERANO
S. CROCE IN GERUSALEMME
VIA DI S. GREGORIO
VIA DEI CERCHI
Piazza S. Giovanni in Laterano
VIA L'AQUILA
VIA LA SPEZIA
CIRCO MASSIMO
Piazza di Porta Capena
CELIO
VIA AMBA ARADAM
Porta S.Giovanni
VIALE AVENTINO
VIA MAGNA GRECIA
VIALE DELLE TERME DI CARACALLA
Porta Metronia
VIA GALLIA
Piazza dei Re di Roma
TERME DI CARACALLA
Piazza Epiro
VIA ETRURIA
VIA APPIA NUOVA
VIA TUSCOLANA
STAZIONE TUSCOLANA
Porta Latina
Piazza Zama
VIALE MARCO POLO
STAZIONE ROMA-OSTIENSE
Porta Ardeatina
Porta S. Sebastiano
VIA CILICIA
CIRCONV. NOMENTANA

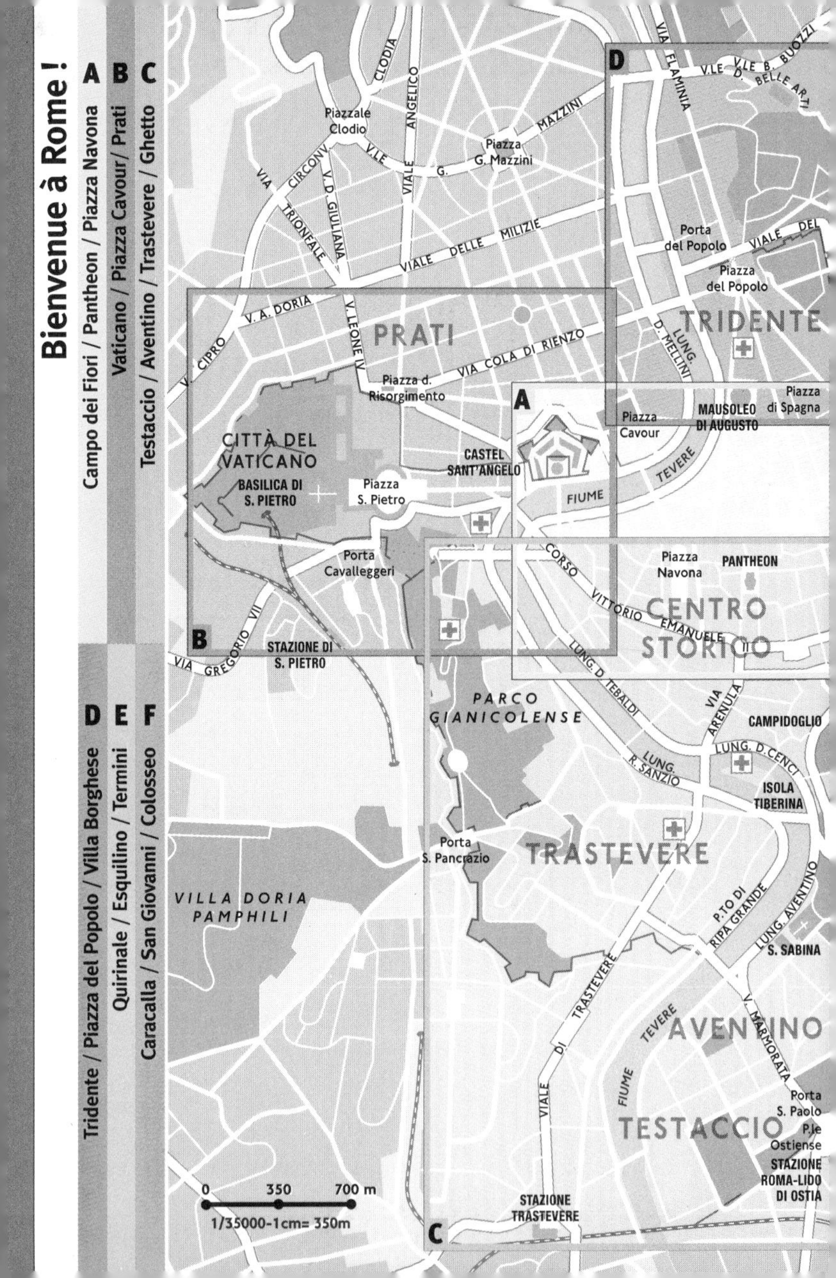
Bienvenue à Rome !
A Campo dei Fiori / Pantheon / Piazza Navona
B Vaticano / Piazza Cavour / Prati
C Testaccio / Aventino / Trastevere / Ghetto
D Tridente / Piazza del Popolo / Villa Borghese
E Quirinale / Esquilino / Termini
F Caracalla / San Giovanni / Colosseo
CLODIA
VIALE ANGELICO
Piazzale Clodio
VIA CIRCONV. TRIONFALE
V.LE G. MAZZINI
Piazza G. Mazzini
V. D. GIULIANA
VIALE DELLE MILIZIE
V. A. DORIA
V. LEONE IV
V. CIPRO
PRATI
VIA COLA DI RIENZO
Piazza d. Risorgimento
CITTÀ DEL VATICANO
BASILICA DI S. PIETRO
Piazza S. Pietro
CASTEL SANT'ANGELO
Porta Cavalleggeri
VIA GREGORIO VII
STAZIONE DI S. PIETRO
VIA FLAMINIA
V.LE B. BUOZZI
V.LE D. BELLE ARTI
Porta del Popolo
VIALE DEL
Piazza del Popolo
TRIDENTE
LUNG. D. MELLINI
Piazza di Spagna
Piazza Cavour
MAUSOLEO DI AUGUSTO
FIUME TEVERE
CORSO VITTORIO EMANUELE II
Piazza Navona
PANTHEON
CENTRO STORICO
LUNG. D. TEBALDI
VIA ARENULA
CAMPIDOGLIO
LUNG. D. CENCI
PARCO GIANICOLENSE
LUNG. R. SANZIO
ISOLA TIBERINA
Porta S. Pancrazio
TRASTEVERE
P.TO DI RIPA GRANDE
LUNG. AVENTINO
S. SABINA
VILLA DORIA PAMPHILI
VIALE DI TRASTEVERE
V. MARMORATA
AVENTINO
FIUME TEVERE
Porta S. Paolo
P.le Ostiense
TESTACCIO
STAZIONE ROMA-LIDO DI OSTIA
0 350 700 m
1/35000-1cm= 350m
STAZIONE TRASTEVERE

PIAZZA NAVONA

CARTE DE VISITE

- Capitale de l'Italie
- 2,8 millions d'hab.
- 1 500 km²
- 12,8 millions de visiteurs/an
- 400 églises
- 1 fleuve : le Tibre
- Monnaie : l'euro

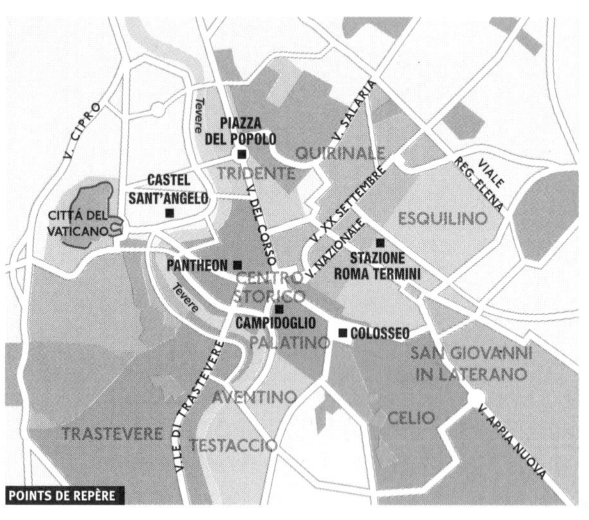

POINTS DE REPÈRE

POINTS DE VUE

Gianicolo (C A2)
De la colline du Janicule : vues extraordinaires sur le Trastevere et la colline de l'Aventino.

Basilica di San Pietro (B C3)
De la terrasse du toit : vue imprenable sur la piazza San Pietro et toute la cité.

Campidoglio (F A1)
Belvédère (à droite de la place) ouvert sur le Foro Romano.

Parco Savello (C D4)
→ *Via di Santa Sabina*
Sur l'Aventino : charmant jardin d'orangers et belvédère donnant sur le Tibre.

Monte mario
→ *Via Gomenizza, 81*
M° Ottaviano puis bus n° 32
Colline surplombant le stade du Foro Italico. Vue splendide sur le Tibre.

ESPACES VERTS

Horaires
Du lever au coucher du soleil.

Parcs et jardins
Les jardins des villas ont donné naissance à de somptueux espaces verts ouverts au public.

Villa Borghese (D D2)
Parc de 6 km de circonférence : jardins, bois, lac, hippodrome, musées, pelouses. Location de vélos.

Villa Doria Pamphili
→ *Via di San Pancrazio / via Aurélia antica*
Derrière le Janicule, le plus grand parc public de Rome (184 ha).

Orto Botanico (C B2)
→ *Largo Cristina di Svezia, 24*
Tél. 06 49 91 71 07
Mar.-sam. 9h-19h
Prix 2,07 €
Dans l'ancien jardin de la villa Corsini : 7 000 espèces végétales (12 ha.).

VISITES GUIDÉES

Sites archéologiques

Ripartizione X
→ *Via del Portico d'Ottavia, 29 Fax 06 689 21 15 (rdv. sur demande écrite précisant les dates souhaitées)*
Visite guidée des lieux non ouverts au public (Monte Testaccio, Area Sacra, Mausoleo di Augusto, Stadio di Domiziano, Teatro di Marcello...).

Archeovita
→ *Via Giovanni Giolitti, 213*
Tél. 06 446 64 25
Visite des sites et chantiers de fouilles fermés au public.

Bus touristiques (E F2)

110 City Tour
→ *Tlj. 9h à 20h (départ Termini toutes les 30 min)*
Prix 7,75 € ou 12,91 €
3h à la découverte des sites les plus célèbres (italien, anglais, français)

Linea delle basiliche
→ *Sam. et vacances à 10h30 et à 15h (départ Termini)*
Les grandes basiliques.

Croisières sur le Tibre
Pour une découverte du fleuve, assez méconnu des Romains eux-mêmes.

Tiber II (A C2)
→ *Ponte Umberto I*
Tél. 06 446 34 81 Mar., Jeu., Sam. 11h, 16h30 Prix 12,91 €
Remontée du Tibre jusqu'au Ponte Nilvio d'Aosta et retour (1h30).

Invicibile I
→ *Ponte Marconi*
Tél. 06 563 040 94
Tlj. 10h-15h30 Prix 10 €/AR
"Bateau-mouche" jusqu'à Ostia antica et visite guidée des ruines.

ÉGLISES

Tarifs
Presque toutes gratuites. Prévoir de la monnaie pour les éclairages.

Concerts
Presque tous les dim. Voir les offices de tourisme.

BAR DEL FICO
SPAZIO SETTE
MERCATO DI CAMPO DEI FIORI

est de bon augure et il suffit de jeter un œil au généreux buffet d'*antipasti* pour comprendre qu'ici on sait manger ! Pâtes, spécialités de viande ou de poisson, évoluant selon les saisons. Le *rombo al forno* (turbot au four) est un régal ! 25-30 €.

Cafés, glaciers

Caffè Sant' Eustachio (A D3)
→ *Piazza di Sant' Eustachio, 82 Tél. 06 686 13 09 Tlj. 8h30-1h (1h30 ven., 2h sam.)*
Un délicat parfum de café s'échappe de la salle ouverte sur la place. On y vient de toute la ville pour son *grancaffè speciale* : noir, crémeux et fortement aromatisé. À côté, au Bar Piccolo (Via del Teatro Valle), surprenant *caffè alla nocciola*, café noir au parfum de noisette.

Giolitti (A D-E2)
→ *Via Uffici del Vicario, 40 Tél. 06 699 12 43 Tlj. 7h-1h*
Le plus célèbre glacier de Rome depuis 1938. Coupes glacées, servies en salle dans une ambiance début de siècle. Près de 100 parfums. 1,55 € le cornet.

Cinque Lune (A C-D3)
→ *Corso del Rinascimento, 89 Tél. 06 68 80 10 05 Tlj. 7h-21h*
Minuscule *pasticceria* qui, depuis 1902, régale les Romains des meilleures pâtisseries à la crème de la ville. *Bombe alla crema* (beignets), *sfogliatelle* (gâteaux napolitains feuilletés et fourrés d'une crème à la *ricotta* et aux zestes de fruits confits).

Bars, concerts

La Trinchetta (A B3)
→ *Via dei Banchi Nuovi, 4 Tél. 06 68 30 01 33 Tlj. 19h-2h Fermé en août*
Enrico, œnologue, est passionné de *grappa* (eau-de-vie à base de marc de raisin). Sur ses étagères, plus de 100 variétés, dont il vous contera peut-être les parfums. Charcuteries, fromages (gorgonzola et moutarde de figue) et bon choix de vins. Sushis (jeu. soir), cuisine d'Érythrée (2 dim./mois).

Bar del Fico (A B-C3)
→ *Piazza del Fico, 26/28 Tél. 06 686 52 05 Tlj. 8h-2h*
Près de la Piazza Navona, une placette au détour d'une ruelle, une grande terrasse à l'ombre d'un figuier et une ambiance jeune et décontractée.

Vineria Reggio (A C4)
→ *Campo dei Fiori, 15 Tél. 06 68 80 32 68 Tlj. 9h-2h*
Une jolie *vineria*, grande ouverte sur le Campo dei Fiori. À l'intérieur, pas de tables, on s'accoude au comptoir. S'il y a trop de monde, on s'assoit en terrasse ou on sirote tranquillement son verre debout sur la place.

Jazz Café (A C2)
→ *Via Zanardelli, 12 Tél. 06 686 19 90 Lun. 12h-15h30 ; mar.-ven., dim. 12h-15h30, 21h-3h ; sam. 21h-3h*
Un bar sélect à la mode : cocktails au rez-de-chaussée, musique *live* au piano-bar de l'étage. Brunch le dim.

Il Locale (A B-C3)
→ *Vicolo del Fico, 3 Tél. 06 687 90 75 Mar.-dim. 22h30-2h30*
Dans un ancien garage divisé en plusieurs salles (240 m²), les meilleurs espoirs de la scène pop et rock italienne.

Shopping

Dakota al Pantheon (A E3)
→ *Via del Seminario, 111 Tél. 06 678 76 61 Tlj. 9h-20h*
Vêtements d'occasion, chaussures, mobilier, bric-à-brac et une déco kitsch qui cohabite avec les fresques d'un ancien palais.

Antichità Tanca (A D3)
→ *Salita de' Crescenzi, 12 Tél. 06 687 52 72 Lun. 16h30-20h ; mar.-sam. 10h-13h, 16h-20h*
Depuis plus de 50 ans la famille Tanca amasse ici des milliers d'estampes de Rome. Bijoux anciens, lampes napolitaines peintes à la main...

Spazio Sette (A D4)
→ *Via dei Barbieri, 7 Tél. 06 686 97 47 Lun. 15h30-19h30 ; mar.-sam. 9h30-13h, 15h30-19h30*
Dans une sombre ruelle donnant sur le Largo Argentina, l'un des plus étonnants magasins de design de Rome. Sur 3 étages d'un palais du XVIe s. : meubles et objets des plus grands designers italiens. Difficile de détacher les yeux des fresques de Giminiane père et fils qui ornent les plafonds du 3e étage !

Mercato di Campo dei Fiori (A C4)
→ *Tous les matins*
Fleurs, fruits et légumes... Un marché animé et coloré aux riches senteurs, sur une des plus jolies places de la ville.

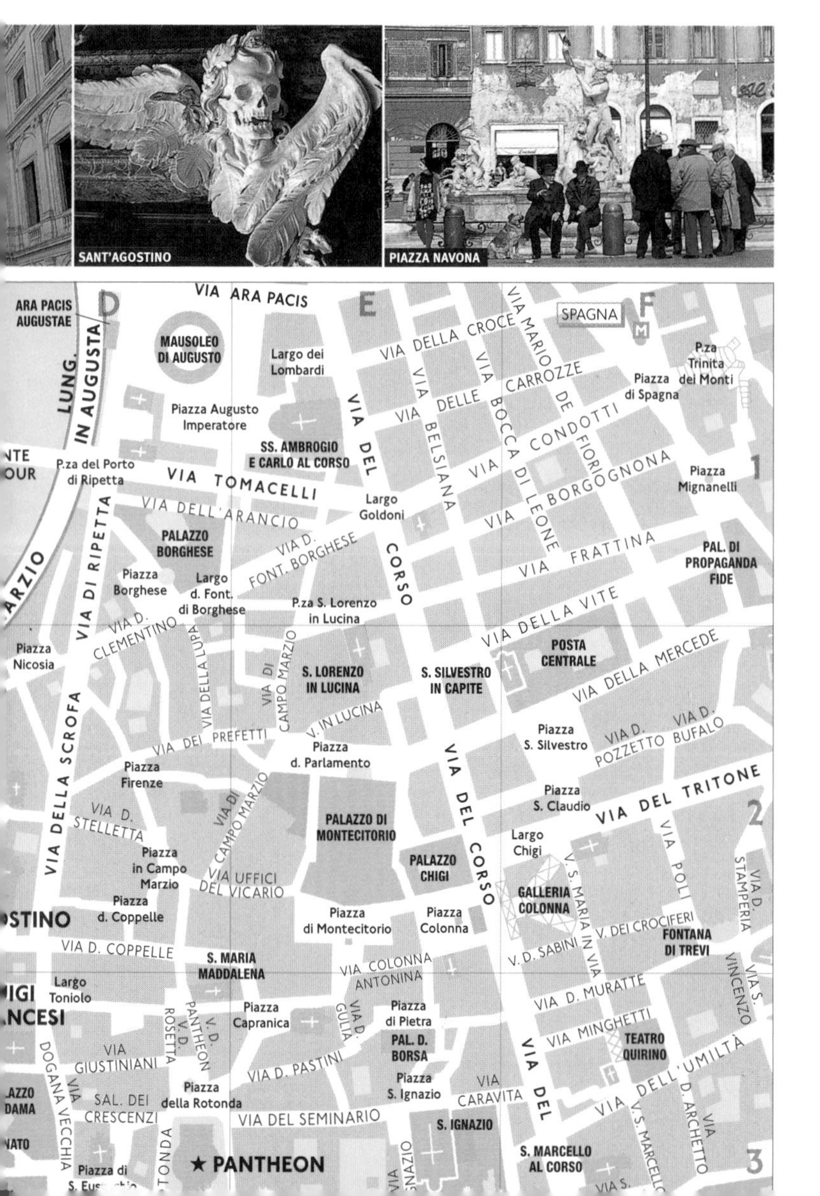

SANT'AGOSTINO
PIAZZA NAVONA
VIA ARA PACIS
ARA PACIS AUGUSTAE
D
E
F
SPAGNA
M
MAUSOLEO DI AUGUSTO
Largo dei Lombardi
VIA DELLA CROCE
VIA MARIO DE FIORI
P.za Trinita dei Monti
Piazza di Spagna
LUNG. IN AUGUSTA
Piazza Augusto Imperatore
VIA DEL CORSO
VIA DELLE CARROZZE
VIA BOCCA DI LEONE
VIA BELSIANA
VIA CONDOTTI
SS. AMBROGIO E CARLO AL CORSO
P.za del Porto di Ripetta
VIA TOMACELLI
VIA BORGOGNONA
Piazza Mignanelli
1
Largo Goldoni
VIA DELL'ARANCIO
PALAZZO BORGHESE
VIA D. FONT. BORGHESE
VIA DI RIPETTA
VIA FRATTINA
PAL. DI PROPAGANDA FIDE
Piazza Borghese
Largo d. Font. di Borghese
P.za S. Lorenzo in Lucina
VIA DELLA VITE
VIA D. CLEMENTINO
Piazza Nicosia
POSTA CENTRALE
VIA DELLA MERCEDE
VIA DELLA LUPA
VIA DI CAMPO MARZIO
S. LORENZO IN LUCINA
S. SILVESTRO IN CAPITE
VIA DELLA SCROFA
V. IN LUCINA
VIA DEI PREFETTI
Piazza d. Parlamento
Piazza S. Silvestro
VIA D. POZZETTO
VIA D. BUFALO
Piazza Firenze
Piazza S. Claudio
VIA DEL TRITONE
VIA D. STELLETTA
PALAZZO DI MONTECITORIO
2
Largo Chigi
VIA POLI
VIA D. STAMPERIA
Piazza in Campo Marzio
PALAZZO CHIGI
V. S. MARIA IN VIA
GALLERIA COLONNA
VIA UFFICI DEL VICARIO
Piazza d. Coppelle
Piazza di Montecitorio
Piazza Colonna
V. DEI CROCIFERI
FONTANA DI TREVI
VIA D. COPPELLE
S. MARIA MADDALENA
VIA COLONNA ANTONINA
V. D. SABINI
VIA S. VINCENZO
Largo Toniolo
VIA D. MURATTE
V. D. ROSETTA
V. D. PANTHEON
Piazza Capranica
VIA D. GULIA
Piazza di Pietra
VIA MINGHETTI
PAL. D. BORSA
TEATRO QUIRINO
VIA GIUSTINIANI
VIA D. PASTINI
Piazza S. Ignazio
VIA CARAVITA
VIA DELL'UMILTÀ
VIA D. ARCHETTO
VIA DOGANA VECCHIA
SAL. DEI CRESCENZI
Piazza della Rotonda
VIA DEL SEMINARIO
S. IGNAZIO
V. S. MARCELLO
S. MARCELLO AL CORSO
★ PANTHEON
3
VIA S.

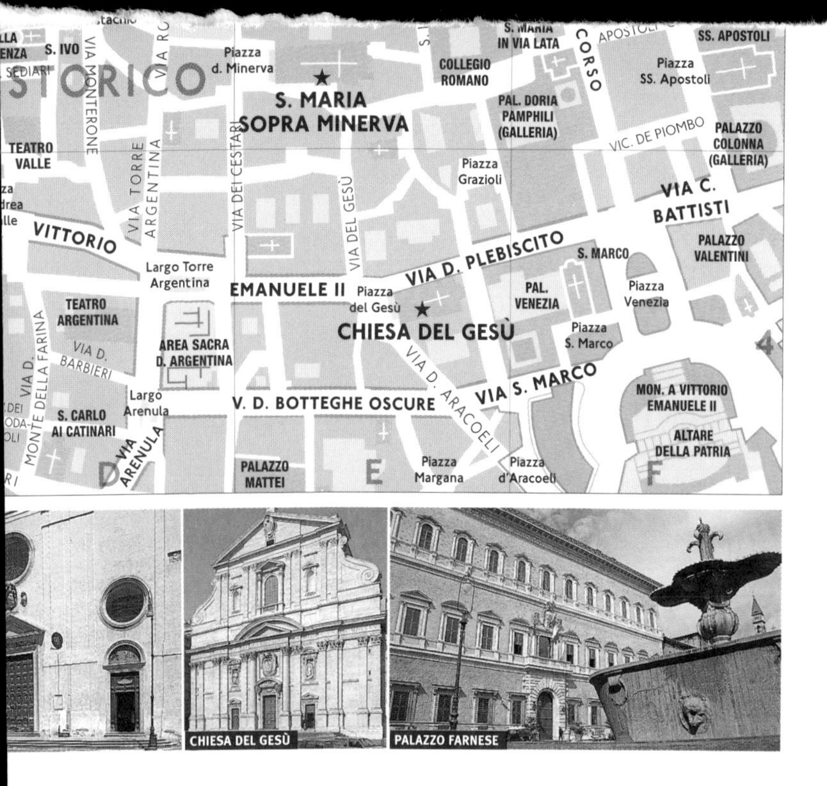

CHIESA DEL GESÙ

PALAZZO FARNESE

Martyr de saint [Ma]*tthieu, 3* chefs-d'œuvre [du C]aravage où il réalise [ses] premiers effets de clair-[obs]cur, chargeant ainsi ses [toil]es d'une puissante [ten]sion dramatique.

[P]antheon (A D3)
[P]iazza della Rotonda
[Tél.] 06 68 30 02 30 Lun.-sam. [8h3]0-19h, dim. 9h-18h
[Le m]ieux conservé des [édif]ices antiques (118-[125] apr. J.-C.). Sa coupole [est l]'une des plus grandes [voû]tes en maçonnerie [jam]ais réalisées. [Un im]posant portique [s'ouv]re sur une rotonde [aux] proportions parfaites : [cinq] rangs de caissons concentriques conduisent le regard jusqu'au puits de lumière central.
Les dépouilles de Victor-Emmanuel II, d'Umberto Ier et de Raphaël reposent ici.

★ Santa Maria Sopra Minerva (A E3)
→ Piazza della Minerva
Tél. 06 679 12 17
Tlj. sauf dim. 8h-19h
Un *Christ* de Michel-Ange, des fresques de Filippino Lippi et la pierre tombale de Fra Angelico composent le riche décor de la seule église gothique de Rome, reconstruite en 1208 à la place d'un temple dédié à Minerve. Devant l'église, un obélisque (VIe s.) porté par un petit éléphant, curieux assemblage imaginé par le Bernin et réalisé par Ercole Ferrara au XVIIe siècle.

★Chiesa del Gesù (A E4)
→ Piazza del Gesù
Tél. 06 69 70 01
Tlj. 6h30-12h30, 16h-19h30
La 1re église jésuite (1568-73) qui influença durant près d'un siècle l'architecture religieuse romaine et européenne. Le décor, très sobre, sera enrichi au XVIIe siècle par les artistes les plus célèbres : Baciccia (fresques), Raggi (stucs), Pierre de Cortone (autel du transept droit), Andrea Pozzo (chapelle Saint-Ignace-de-Loyola).

★ Palazzo Farnese (A C4)
→ Piazza Farnese, 67
Tél. 06 68 60 11 (visite sur demande écrite, à prévoir un mois à l'avance : fax 06 68 80 97 91)
Le siège de l'ambassade de France. Son imposante façade affiche l'esthétique claire et mesurée d'un palais Renaissance. Commencé par Sangallo le Jeune en 1517, poursuivi par Michel-Ange en 1546, le palais est achevé par Giacomo Della Porta en 1589. À l'intérieur, un somptueux décor (fresques d'Annibal et Augustin Carrache). Un cadre de rêve pour la réception du 14 Juil.

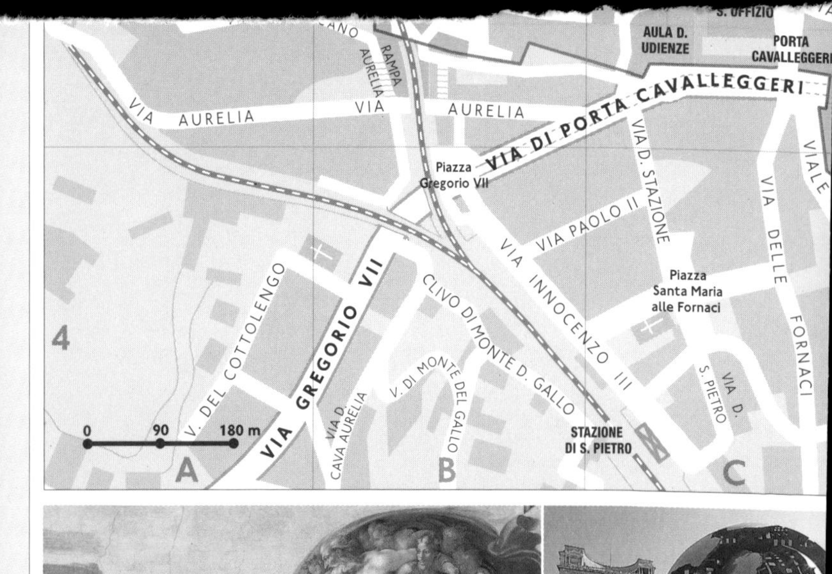

CAPPELLA SISTINA

CORTILE DELLA PIGNA

★ Piazza San Pietro (B C3)
Une œuvre magistrale composée par le Bernin. En 1656, Alexandre VII lui confie le soin de tracer une place qui permettrait au pape d'être vu du plus grand nombre lors de ses apparitions au balcon de la basilique ou de ses appartements. En résulte une place en forme d'ellipse bordée de deux impressionnantes colonnades surmontées de 140 statues de saints. Très belle perspective sur Saint-Pierre de la Via della Conciliazione. Bénédiction papale le dim. à 12h.

★ Basilica di San Pietro (B C3)
→ Piazza San Pietro Tél. 06 69 88 16 62 Tlj. Basilique et tombeaux : 7h-18h (19h en été) / Musée du Trésor : 8h-18h (19h en été), 5 €/ Dôme : 8h-18h (19h en été), 5 € ; dernière entrée 1h avant la fermeture.
Une des plus extraordinaires prouesses architecturales. L'immensité de l'édifice est stupéfiante : la nef, de 186 m de long, semble se déployer à mesure que l'on avance. La coupole supportée par 4 piliers colossaux s'élance à 136 m de hauteur et donne presque le vertige.
Au XVIe siècle, Jules II décide de reconstruire la basilique de Constantin (IVe s.) qui s'élevait sur le tombeau de saint Pierre. Se succèdent les plus grands architectes : Bramante pour le plan, Michel-Ange pour le dôme et Maderno pour la nef et la façade. L'intérieur doit beaucoup au Bernin qui réalisa la chaire-reliquaire en bronze protégeant le trône de Saint-Pierre, le gigantesque baldaquin baroque et les tombeaux des papes Urbain VIII et Alexandre VII. À voir : la statue médiévale de saint Pierre, aux pieds u par les baisers des pèleri l'émouvante *Pietà* (1498 1500) du jeune Michel-Ange, la grotte qui abrite les tombeaux des papes On prend conscience de l'immensité de la coupo en grimpant au balcon d tambour ; l'ascension se poursuit par un escalier 330 marches pour une v inégalable sur la ville et les jardins.

★ Giardini Vaticani (B B2)
→ Tél. 06 69 88 44 66 Visite guidée : Lun.-sam. 10h-11h (sur rdv. uniqueme Prix 9 €
Plusieurs jardins :

PIAZZA SAN PIETRO
BASILICA DI SAN PIETRO
A
B
C
1
2
3
V.LE D. MEDAGLIE D'ORO
V. T. CAMPANELLA
Largo Trionfale
V. LUIGI RIZZO
VIA ANDREA DORIA
Piazzale degli Eroi
VIA TUNISI
VIA LA GOLETTA
VIA SANTAMAURA
VIA OSTIA
VIA LEONE IV
VIA FAMA
VIALE
CIPRO MUSEI VATICANI
VIA VITTOR PISANI
VIA MOCENIGO
VIA CAUDIA
VIA FRA ALBENZIO
Piazza S. M. delle Grazie
VIA SEB. VENIERO
VIA CIPRO
S. MARIA DELLE GRAZIE
VIA DELLA MELORIA
VIALE VATICANO
VIALE BASTIONI DI MICHELANGELO
VIA ANGELO EMO
PINACOTECA VATICANA
Cortile della Pigna
Cortile Quadrato
GIARDINI VATICANI
MUSEI VATICANI
PONTIFICIA ACCADEMIA D. SCIENZE
POSTA
Cortile del Belvedere
CITTÀ DEL VATICANO
CAPPELLA SISTINA
GOVERNATORATO
COLLEGIO ETIOPICO
BASILICA DI SAN PIETRO
RADIO VATICANA
TRIBUNALE
Piazza S. Marta
STAZIONE FERROVIARIA
PAL. D.
SAGRESTIA

La Piazza San Pietro, impressionnante de beauté et si parfaite de proportions, mérite un arrêt à l'ombre de la colonnade du Bernin. Il faut ensuite se frayer un passage parmi les groupes de pèlerins, pour pénétrer dans la basilique ou atteindre les Musei Vaticani. Hors de l'enceinte s'ouvrent le quartier de Prati et la commerçante Via Cola di Rienzo, trépidante de vie. Au nord, le quartier se fait plus résidentiel : jolies rues plantées d'althæs, en fleur en été, quelques terrasses de cafés ou de restaurants et, un peu plus haut, la Via Trionfale et le joli marché aux fleurs de Prati.

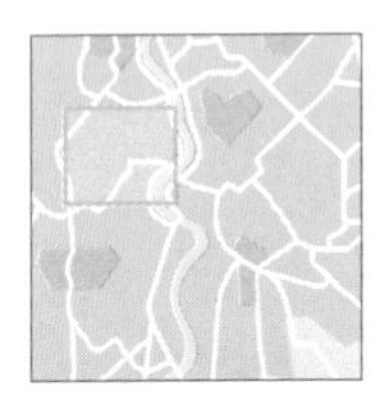

TRE PUPAZZI
GIRRAROSTO TOSCANO

RESTAURANTS, PIZZERIA

Non Solo Pizza (B D1)
→ *Via degli Scipioni, 95/97*
Tél. 06 372 58 20
Mar.-dim. 8h30-22h30
Fermé 20 j. en août
Pizza *al taglio* (aux cèpes, brocolis, saucisses...).

Tre Pupazzi (B E2)
→ *Borgo Pio, 183*
Tél. 06 686 83 71 Lun.-sam. 12h-14h30, 19h-23h
Derrière le Castel Sant' Angelo, une taverne du XVIIe siècle. Excellents *fettuccine ai Tre Pupazzi* (champignons, crème, petits pois, jambon cru). suivis du *cuscinetto ai Tre Pupazzi* (fromage et *prosciutto* entre 2 fines tranches de veau, nappés d'une sauce citronnée). Attention : pain, couverts et service en sus. Compter 20 à 30 €.

Osteria dell' Angelo (B B1)
→ *Via G. Bettolo, 24/26 (dans le prolongement de la Via T. Campanella)*
Tél. 06 372 94 70
Lun.-sam. 20h-22h30 (mar., ven. 13h-14h30)
Aux murs trônent les maillots de l'équipe de France et des All Blacks, le patron est un ex-joueur de rugby ! Restaurant un peu excentré, mais l'excellente cuisine mérite le détour : saucisses de sanglier, *tonarello* (pâtes au fromage de brebis et au poivre). Carte le midi, menu du patron le soir 23 € (vin compris). Réservation conseillée. Terrasse. Pas de cartes de crédit.

Girrarosto Toscano (B C-D1)
→ *Via Germanico, 56/58*
Tél. 06 397 233 73
Tlj. 12h30-15h, 20h-23h15
Fermé en août
Pour un petit voyage en Toscane ! Soupes, pâtes fraîches maison (*ravioli* au potiron) et pour les amateurs de viandes, *tagliata di manzo all' aceto balsamico* (bœuf au vinaigre balsamique). Les serveurs en costume apportent au lieu une touche de distinction supplémentaire. 35 €.

Benito e Gilberto al Falco (B D2)
→ *Via del Falco, 19*
Tél. 06 686 77 69
Lun.-sam. 19h30-1h.
Fermé en août
Un tout petit restaurant familial né il y a 25 ans. Ici, du poisson, rien que du poisson ! Si on en croit les photos sur les murs, Mastroianni, Fellini

C

Testaccio / Aventino / Trastevere / Ghetto

Sur la belle Piazza Mattei, la fenêtre entrebâillée d'un palais laisse parfois entrevoir une fresque ou un plafond à caissons. De jolies ruelles descendent vers le Teatro Marcello. On est ici au cœur du Ghetto, le quartier juif. Un petit passage rejoint la Via d'Ottavia, bordée de pâtisseries et de restaurants juifs. De l'autre côté du Tibre, le quartier populaire du Trastevere : un lacis de ruelles, placettes, bars et restaurants animés, devenus le repaire de jeunes artistes. Sur l'autre rive, le Testaccio et sa colline constituée de débris d'amphores, sous laquelle ont trouvé refuge bars, restaurants et discothèques.

AL REGNO DI FERDINANDO
CHECCHINO DAL 1887

RESTAURANTS, PIZZERIA

Da Lucia (C B3)
→ *Vicolo del Mattonato, 2b*
Tél. 06 580 36 01 Mar.-dim. 12h30-15h, 19h30-0h
La grand-mère qui tenait cette trattoria n'est plus, mais le lieu a depuis 1938 conservé son caractère simple et chaleureux à l'image du quartier. *Spaghetti al cacio e pepe* (fromage de brebis au poivre), *gnocchi* (le jeu.), tripes à la romaine, morue (le ven.) À partir de 20 €.

"Da Oio" a Casa Mia (C C5)
→ *Via Galvani, 43/45*
Tél. 06 578 26 80
Lun.-sam. 12h-14h30, 19h30-23h30 Fermé 15 j. en août et à Noël
Un restaurant de Testaccio qui a conservé un accueil familial comme il n'en existe plus beaucoup. Pâtes (*gnocchi*, *rigatoni alla pajata*, *tonarelli al cacio e pepe*) et en *secondi*, tripes et queue de bœuf braisée.
23 €.

Al Pompiere (C D2)
→ *Palazzo Cenci, via Santa Maria de' Calderari, 38*
Tél. 06 686 83 77
Lun.-sam. 12h-15h, 19h30-23h Fermé en août
Un escalier conduit à une immense salle aux plafonds ornés de fresques. On est ici au cœur du Ghetto, dans une des ailes du palais de Beatrice Cenci (XVIe s.). Spécialités juives : fritures (cervelle, abats, filets de morue), *carciofi alla Giudìa* (artichauts). En dessert, la *crostata di ricotta e visciole* (tarte à la ricotta et aux griottes). Autour de 30 €.

Al Regno di Re Ferdinando II (C C6)
→ *Via Monte Testaccio, 39*
Tél. 06 578 37 25
Lun 20h-23h30, mar.-sam. 12h30-14h30, 20h-23h30
Au pied du Testaccio, une cuisine napolitaine, simple, colorée et pleine de saveurs. Majestueux buffet d'*antipasti*, pâtes, dont les *zite alla genovese* (*mozzarella*, aubergines), pizzas napolitaines. Succulents desserts et une ambiance assurée !

Alberto Ciarla (C B3)
→ *Piazza San Cosimato, 40*
Tél. 06 581 86 68
Lun.-sam. 20h30-0h30
Une déco chic et kitsch pour ce restaurant tenu de père en fils depuis plus de 80 ans. Poissons fumés, *minestra portolana* (soupe aux céréales, légumes et fruits de mer),

PASSEGGIATA DI GIANICOLO
VILLA FARNESINA
SANTA MARIA IN TRASTEVERE
PONTE PR. AMEDEO SAVOIA AOSTA
Piazza Della Rovere
GALL. PR. AMEDEO
VIA ACCIAIOLI
PAL. TAVERNA
PALAZZO SACCHETTI
CHIESA NUOVA
PAL. SFORZA CESARINI
CORSO V
S. MARIA DEL SUFFRAGIO
VIA GIULIA
V. MONSERRATO
LUNG. GIANICOLENSE
VIA D. LUNGARA
VIA DI GIANICOLO
V. D. ORTI D'ALIBERT
PONTE G. MAZZINI
LUNG. DEI TEB
VIA D. MANTELLATE
CARCERE REGINA COELI
VIA DELLA LUNGARA
LUNG. DELLA FARNESINA
FIUME TEVERE
VIALE DELLE MURA AURELIE
Piazza del Faro
PASS. DI GIANICOLO
VIA DI S. FRANC. DI SALES
VILLA FARNESINA
PASSEGGIATA DI GIANICOLO
VIA DEI RIARI
GALLERIA CORSINI
PARCO GIANICOLENSE
VIA CORSINI
ORTO BOTANICO
VIC. MORONI
VIA BENEDETTA
MONUMENTO A G. GARIBALDI
P.le G. Garibaldi
PALAZZO TORLONIA
VIA DELLA SCALA
VIC. D. CINQUE
VIA GARIBALDI
VIA D. MATTONATO
PASSEGGIATA DI GIANICOLO
S. PIETRO IN MONTORIO
S. MAR IN TRASTEV
PORTA S. PANCRAZIO
Piazzale Aurelio
VIA A. MASINA
V. LUCIANO
Piazza S. Cosimato
ACCADEMIA D'AMERICA
VIA G. MEDICI
VIA G. BRUZZESI
VIA G. CARINI
VIALE DELLE MURA GIANICOLENSI
V.LE XXX APRILE
VIA NICOLA FABRIZI
VIA G. MAMELI
V. G. SACCHI
TRASTEV
VIA E. MO
VIA DEL VASCELLO
VIA F. DAVERIO
V.F.LLI BONNET
V. U. SENI
VIA CALANDRELLI
VIALE GLORIOSO
VIA F. CASINI
V. DANDOLO
VILLA SCIARRA
VIA G.DEZZ
VIA F. S.
VIALE AURELIO SAFFI
TRAST
Piazza
A
B
1
2
3
4

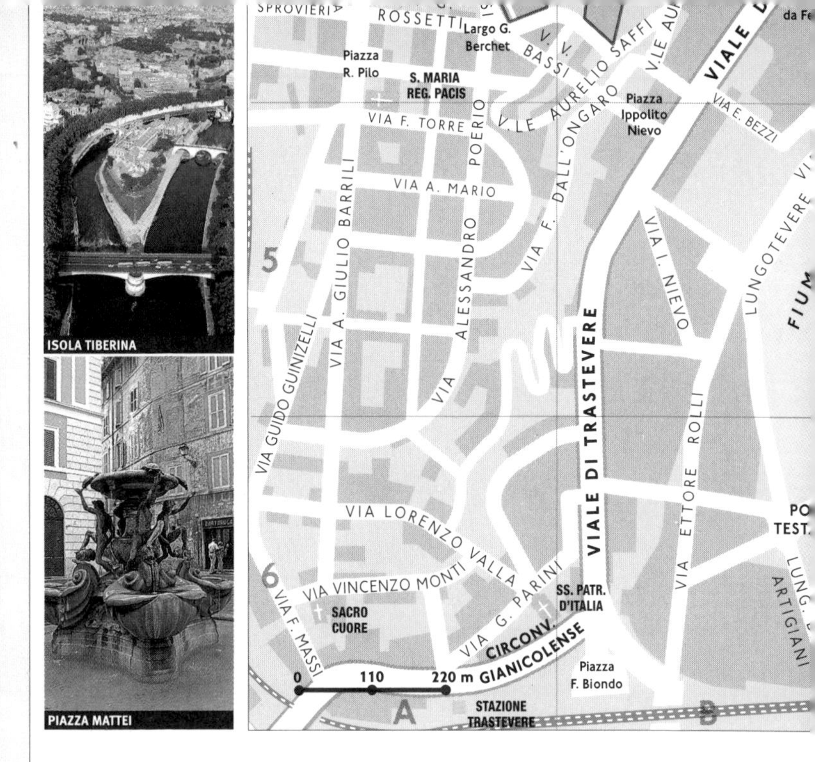

★ Passeggiata di Gianicolo (C A2)
Une promenade sur la colline du Janicule pour une succession de points de vue époustouflants sur la ville. Au centre de la Piazza Garibaldi trône une statue équestre en l'honneur du héros de l'unification italienne. Plus loin, la villa Lante Renaissance épouse les pentes du terrain. Puis, le phare Manfredi, offert en 1911 par les Italiens d'Argentine, qui, la nuit, projette sur la ville, un faisceau aux couleurs de l'Italie.

★ Villa Farnesina (C B2)
→ *Via della Lungara, 230 Tél. 06 68 80 17 67 Lun.-sam. 9h-13h Prix 4,50 €*
Une élégante villa bâtie par Peruzzi pour accueillir les fêtes du richissime Agostino Chigi. Pour la décoration, il fit appel aux artistes les plus réputés de la Renaissance. Au rez-de-chaussée : fresques de Raphaël (*Légendes de Psyché* et *de Galatée*). À l'étage : le salon des Perspectives et les vues de Rome au XVIe siècle, peintes en trompe l'œil par Peruzzi lui-même.

★ Santa Maria in Trastevere (C B3)
→ *Piazza Santa Maria in Trastevere Tél. 06 581 48 02 Tlj. 7h30-21h*
Sur une jolie placette du vieux village du Trastevere, la basilique Santa Maria (XIIe s.) a conservé son caractère médiéval. En façade, une mosaïque d'influence byzantine (XIIe-XIVe s.), à l'intérieur, un plan basilical à 3 nefs, et un chœur décoré de riches mosaïques : 6 mosaïques de Cavallini (XIIIe s.) dont les couleurs éclatantes témoignent d'un traitement inspiré de l'art de la fresque.

★ Isola Tiberina (C C3)
Selon la légende, l'île devrait sa forme à celle d'un bateau parti en Grèce à la recherche d'Esculape (dieu de la Médecine). De son voyage l'équipa ramena un serpent, symbole du dieu, qui s'échappa dans le Tibre laissant le bateau se pétrifier au milieu des eaux. Depuis le XVIe siè l'île est presque entièren occupée par l'hôpital Fatebenefratelli (jolie petite église baroque). Agréable promenade sur les berges : en aval, les restes du Ponte Rott qui s'effondra au XVIe siècle, preuve que le Tibre ne se laisse pas dompter facilement.

★ Piazza Mattei (C D
Dès le XVIe siècle, la fan Mattei fait ériger sur ce

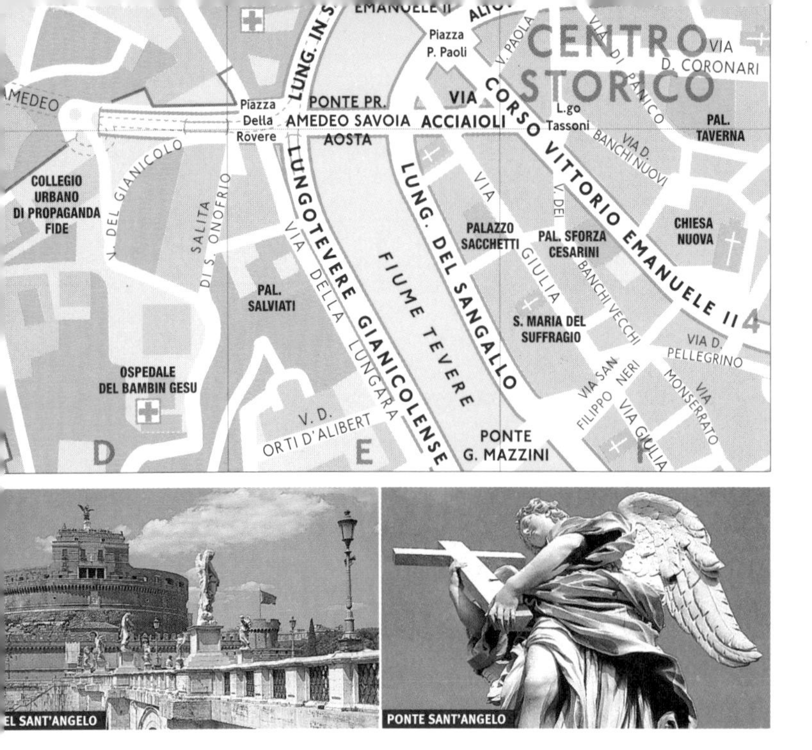

EL SANT'ANGELO

PONTE SANT'ANGELO

alienne (ponctués
rottes, fontaines,
ues et monuments),
française (parterres de
s), des bois et même
otager ! Très belle vue
'abside et les
septs de la basilique.
lusei Vaticani (B C2)
'ale Vaticano
06 69 88 33 33
ven. 8h45-14h20 (sortie
5), sam. 8h45-12h20
ie 13h30) Prix 10 €
nier dim. du mois ouvert
me sam. et gratuit)
astes collections,
est préférable
mirer en plusieurs fois.
régulier le flux
siteurs, la visite
impose un circuit fléché qui se termine par la chapelle Sixtine. À voir absolument : la Galleria delle Carte Geografiche, qui, sur 120 m de long, déroule une série de cartes des régions d'Italie (XVIe s.) aux couleurs éclatantes ; les Gallerie delle Sculture qui rassemblent la plus importante collection au monde de statues classiques romaines ; les Stanze di Raffaello, appartements de Jules II redécorés par Raphaël en 1508, qui illustrent les principaux thèmes de la connaissance ; la fameuse Pinacoteca qui expose des chefs-d'œuvre de la peinture du Moyen Âge au XVIIIe s. (*Vierge à l'enfant* de Pinturicchio, le *Saint Jérôme* de Léonard de Vinci, la *Transfiguration*, dernière œuvre de Raphaël, la *Descente de Croix* et la *Mise au Tombeau* du Caravage) ; et enfin, la Cappella Sistina qui clôture la visite. La célèbre voûte, peinte en 4 ans par Michel-Ange de 1508 à 1512, a retrouvé sa splendeur d'antan suite à une merveilleuse et fidèle restauration.

★ Castel Sant'Angelo (B F2)
→ *Lungotevere Castello, 50 Tél. 06 681 91 11 Tlj. sauf lun. 9h-19h Prix 5 €*
Le mausolée d'Hadrien (123 apr. J.-C.) connut de multiples usages au Moyen Âge (forteresse, caserne et prison) avant de devenir, au XVe siècle, résidence papale, reliée à Saint-Pierre par un long corridor. Clément VII et Paul III y firent aménager de somptueux appartements dans les années 1520-1530. De la terrasse, dominée par le colossal *Saint Michel* de bronze (1752), vue sur Saint-Pierre et le beau Ponte Sant'Angelo.

RDINI VATICANI

MUSEI VATICANI

PINACOTECA

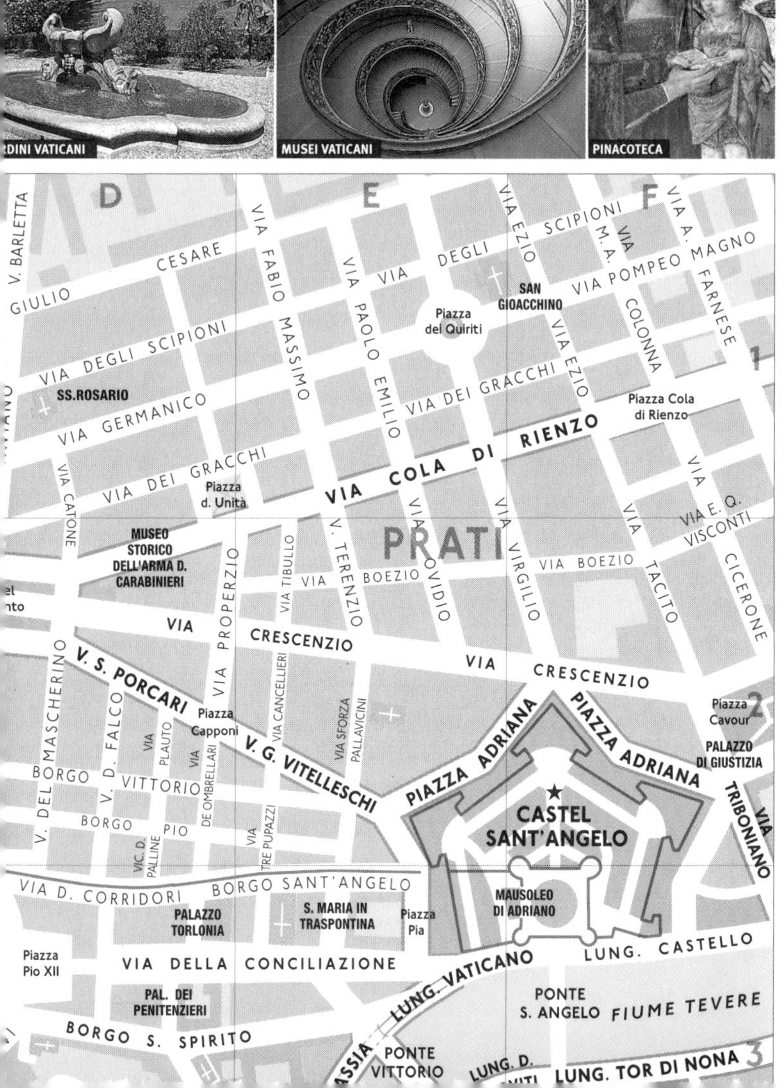

TOR MUSIC
CAFFÈ CASTRONI
MERCATO DELLA PIAZZA DELL'UNITÀ

et bien d'autres ont compté parmi les fidèles clients. Fruits de mer crus (huîtres, moules, coques), *fagiolini ai frutti di mare* (soupe aux haricots et fruits de mer) et poissons grillés. Produits d'une exceptionnelle fraîcheur. 45-50 €.

Il Simposio (B F2)
→ *Piazza Cavour, 16*
Tél. 06 321 15 02
Lun.-ven. 13h-14h30, 20h-1h15 ; sam. 20h-1h15
Fermé en août
Le restaurant de l'Enoteca Costantini. Un cadre feutré, une atmosphère début de siècle (boiseries, miroirs) pour une cuisine raffinée et plus de 300 crus à la carte. Compter 47 €. On peut aussi apprécier un simple verre de vin accompagné de fromages et charcuteries. Dégustations de foies gras.

CAFÉS, GLACIERS

Quelli della Notte (B C1)
→ *Via Leone IV, 48*
Tél. 06 397 469 28
Mar.-dim. 7h-4h
À toute heure du jour ou de la nuit, café, panini, glaces et pâtisseries.

Gelateria Old Bridge (B C2)
→ *Via dei Bastioni di Michelangelo, 5*
Tél. 06 39 72 30 26 Lun-sam. 9h-2h Fermé dim. matin
Tous les week-ends, les Romains n'hésitent pas à faire la queue devant ce minuscule glacier. Spécialités : *cassata siciliana* (pâte d'amandes, ricotta, fruits confits), *zuppa inglese*, *crema della nonna* (pignons et crème)... À partir de 1,50 € le cornet (portions très généreuses).

CONCERTS, CINÉMA, BAR

Accademia Nazionale di Santa Cecilia (B E3)
→ *Via della Conciliazione, 4*
Tél. 06 688 010 44 (rés.)
Lun.-mar., jeu.-dim. 11h-18h
S'y produisent les plus grands solistes et chefs d'orchestre du monde. Quelques audaces parfois (Bregovic ou Galliano).

Cinema Azzuro Scipioni (B C-D-E1)
→ *Via degli Scipioni, 82*
Tél. 06 397 371 61 Lun.-ven. 18h30, sam.-dim. 16h30
Rétrospectives de grands auteurs italiens ou étrangers dans un tout petit ciméma d'art et d'essai. Salle Chaplin (films récents, 140 places) : déco bric-à-brac et rangées de sièges d'avions en guise de fauteuils. Salle Lumière (chefs-d'œuvre du passé) : 60 places et un écran à peine plus grand qu'un petit drap de lit ! 5 €/j. (valable tout le mois pour ce jour de la semaine). Gratuit pour tous le 1er j. du mois, et tlj. pour les enfants et les balayeurs du quartier !

Alexanderplatz (B C1)
→ *Via Ostia, 9*
Tél. 06 397 421 71
Lun.-sam. 21h-2h
Concerts des plus grands noms du jazz italien et international. 6,50 € pour 1 mois. Réserver.

SHOPPING

Vestiastock (B C-D1)
→ *Via Germanico, 170a*
Tél. 06 322 43 91 Lun. 15h30-19h30, mar.-ven. 10h-19h30, sam. 10h-13h, 15h30-19h30
Vêtements homme et femme soldés de 30 % à 50 % : Armani, Cerutti, Versace, Valentino. Stock souvent renouvelé.

Doctor Music (B D-E1)
→ *Via dei Gracchi, 41/43*
Tél. 06 320 05 43 Lun.-sam. 9h30-13h, 16h-20h
Un tout petit disquaire, surtout réputé pour son rayon jazz. Mais aussi : rock, psyché, folk et blues. Nombreux vinyles, CD neufs et d'occasion.

Caffè Castroni (B D1)
→ *Via Ottaviano, 55*
Tél. 06 397 232 79
Lun.-sam. 7h-20h
Une superbe épicerie. Confitures, gâteaux, pâtes, café au détail et 100 sortes de bonbons. Au bar : cappuccino (si crémeux que la cuillère tient debout dans la tasse !), panini et *tramezzini* (sandwichs au pain de mie).

Enoteca Costantini (B F2)
→ *Piazza Cavour, 16*
Tél. 06 320 35 75
Lun 16h30-20h, mar.-sam. 9h-13h, 16h30-20h
Il faut descendre au sous-sol pour découvrir l'impressionnante cave : d'interminables allées voûtées, des milliers de bouteilles. Les meilleurs vins italiens, classés par région.

Mercato della Piazza dell'Unità (B E-F1)
→ *Via Cola di Rienzo*
Lun.-sam. 7h-20h
Sous une belle halle : viandes, fromages et, au centre, étalages de légumes colorés. En été : *San Marzano* (tomates vertes allongées), fleurs de courgettes, *borlotti* (variété de haricots)... Fleuristes aux 2 entrées.

ACCIO

VOLPETTI

PORTA PORTESE

pâtes, grillades... Carte interminable et 6 menus dégustation 47-73 €.

Checchino dal 1887 (C C6)
→ *Via Monte Testaccio, 30 Tél. 06 574 63 18 Mar.-sam. 12h30-15h, 20h-0h Fermé en août et une semaine à Noël*
Le restaurant historique du Testaccio, pour une cuisine romaine de haut vol et un panorama des meilleurs vins d'Italie. Grand choix de fromages. Carte 50 €. Réservation conseillée.

GLACIERS, PÂTISSERIES

Forno del Ghetto (C D2)
→ *Via Portico d'Ottavia, 1 Tél. 06 687 86 37 Dim.-ven. 8h-20h*
Cette minuscule pâtisserie sans enseigne est l'une des plus réputées : pizza juive, biscuits au poids (*ginetti, biscottini, amaretti*) et la fameuse *torta di ricotta e visciole.*

Sacchetti (C B3)
→ *Piazza San Cosimato, 61/62 Tél. 06 580 60 75 Mar.-dim. 6h-23h (0h/1h en été).*
Un bar-pâtisserie-glacier. Goûter la *torta ungherese*. Terrasse l'été pour profiter du charme du Trastevere.

CINÉMA, BARS, DISCOTHÈQUES

Cinema Nuovo Sacher (C C4)
→ *Largo Ascianghi, 1 Tél. 06 581 81 16 Tlj.*
Le cinéma de Nanni Moretti présente au public des films italiens ou étrangers ayant du mal à entrer dans le circuit (V.o. lun., mar.) 7 € (4,50 € lun.-ven. après-midi et le mer.) En juil. et août, festival en plein air.

Bibli (C C3)
→ *Via dei Fienaroli, 28 Tél. 06 588 40 97 Lun. 17h30-0h, mar.-dim. 11h-0h*
Un havre de paix niché au détour d'une jolie ruelle du Trastevere : librairie (accès Internet), débats, conférences, lectures. Joli patio où l'on peut manger. Brunch le dim.

Bar San Calisto (C B2)
→ *Piazza San Calisto, 3/5 Mar.-dim. 6h-1h30*
Le point de rendez-vous des intellectuels, artistes et jeunes du Trastevere. Une institution ! Goûter la glace au chocolat.

Oasi della Birra (C C5)
→ *Piazza Testaccio, 40 Tél. 06 574 61 22 Tlj. 19h30-1h30 (bar) ; 8h-13h30, 16h-19h30 (magasin) Fermé en août*
Une carte de 800 vins et 600 bières du monde : *Superbaladin* (double malt), *Menabrea* (blonde). Des petites tables dans tous les coins et, au sous-sol, une incroyable salle de restaurant construite sur d'antiques vestiges romains. 85 fromages, 40 charcuteries et une cuisine du nord de l'Italie (*polenta, zuppe*). Magasin de vin et de bière.

Bartaruga (C D2)
→ *Piazza Mattei, 8 Tél. 06 689 22 99 Lun.-sam. 10h-2h*
Un bar à la décoration délirante : sur les murs bleu roi, moulures dorées et robes anciennes. Quand le bar est plein, ou quand il fait très chaud, on sirote son verre sur la place, assis au bord de la Fontana delle Tartarughe ! Musique discrète et clientèle plutôt apprêtée.

Big Mama (C C4)
→ *Vicolo San Francesco a Ripa, 18 Tél. 06 581 25 51 Mar.-sam. 21h-1h30*
Depuis 1984, le temple du blues à Rome.

Monte Testaccio (C C6)

Akab
→ *n° 69 Tél. 06 578 23 90 Mer.-sam. 22h-4h*
Musique *live*, soul, dance, R&B, *house*.

L'Alibi
→ *n° 40/44 Tél. 06 574 34 48 Mer.-dim. 23h-5h*
Club gay, clientèle plus mélangée l'été. Terrasse.

Mountgay
→ *Via Galvani, 54 Tél. 06 574 60 13 Lun.-sam. 22h-3h*
House à plein volume et clientèle mélangée dans ce nouveau music bar à la romaine.

SHOPPING

Volpetti (C D5)
→ *Via Marmorata, 47 Tél. 06 574 23 52 Lun.-sam. 8h-14h, 17h-20h15*
Le fromager du Testaccio. À peine le seuil franchi, le client est appelé à goûter fromages de brebis, de chèvre ou de vache : des dizaines de variétés dont certaines inattendues ! Pâtes fraîches, *pizza al taglio* (à la coupe), charcuteries.

Mercato di Porta Portese (C C4)
→ *Via Portuense Ts les dim. de l'aube à 14h*
Vêtements, meubles, pièces pour Vespas, disques, gadgets en tout genre... à très bas prix. Un lieu plein de vie où s'exprime toute la gouaille romaine.

CENTRO STORICO
S. MARIA MADDALENA
Fontana di Trevi
V. POZZO D. CORNACCHIE
VIA DI PIETRA
VIA D. PASTINI
Piazza Navona
PAL. MADAMA
P.za d. Rotonda
P.za S. Ignazio
S. MARCELLO AL CORSO
C.SO D. RINASCIMENTO
PANTHEON
S. MARIA SOPRA MINERVA
S. IGNAZIO
VIA DEL CORSO
PAL. BRASCHI
PAL. D. SAPIENZA
V. MONTERONE
V. D. CESTARI
P.za Coll. Romano
EMANUELE II
PAL. D. CANCELLERIA
Campo de' Fiori
Largo Torre Argentina
P.za d. Gesù
VIA DEL PLEBISCITO
S. MARCO
VIA DEI CHIAVARI
CHIESA DEL GESÙ
PAL. VENEZIA
Piazza Venezia
VIA DEI GIUBBONARI
Largo Arenula
VIA D. BOTTEGHE OSCURE
V. S. MARCO
VIA D. ARA COELI
PAL. SPADA (GALLERIA)
Piazza B. Cairoli
PIAZZA MATTEI
Piazza di Campitelli
Piazza Aracoeli
V. D. SPICCHI
VIA ARENULA
PALAZZO CENCI BOLOGNETTI
VIA D'OTTAVIA
SS. TRINITA DI PELLEGRINI
VIA D. PETTINARI
V. D. ZOCCOLETTE
TEATRO DI MARCELLO
VIA D. TEATRO DI MARCELLO
M. CAPITOLINO
SINAGOGA
LUNG. DEI VALLATI
LUNG. DEI CENCI
PAL. DEI CONSERVATORI
ISOLA TIBERINA
PONTE GARIBALDI
PONTE FABRICIO
LUNG. D. PIERLEONI
Piazza d. Consolazione
RAFF. SANZIO
LUNG. D. ANGUILLARA
Piazza G. G. Belli
PONTE CESTIO
V. D. LUNGARETTA
PONTE ROTTO
TEMPIO D. FORTUNA VIRILE
Piazza in Piscinula
S. CRISOGONO
PONTE PALATINO
Piazza Bocca d. Verità
FIENAROLI
Piazza d. Ponziani
TEMPIO DI VESTA
VIA D. GENOVESI
VIA DELLA LUCE
LUNG. RIPA
SANTA MARIA IN CAPPELLA
Piazza Mastai
S. CECILIA IN TRASTEVERE
S. MARIA IN COSMEDIN
VIA ANICIA
CLIVIO DI ROCCA SAVELLO
VIA DI S. MICHELE
LUNGOTEVERE AVENTINO
PARCO DI S. ALESSIO
S. FRANCESCO A RIPA
VIA DI P.TA PORTESE
P. DI RIPA GRANDE
PARCO SAVELLO
S. SABINA
AVENTINO
Piazza di Porta Portese
VIA DI S. SABINA
VIA DI S.V.S.A. MAGNO
PORTA PORTESE
PONTE SUBLICIO
S. ALESSIO
ORDINE DEI
SINAGOGA / MUSEO DELLA COMUNITÀ EBRAICA
TEATRO DI MARCELLO
SANTA MARIA IN COSMEDIN

SANTA SABINA / AVENTINO

TESTACCIO

e plusieurs palais dont
lazzo Mattei di Giove
3) : dans sa cour (*Via
ani, 32*), splendide
ction de marbres
ques. Au centre de la
e, l'élégante Fontana
Tartarughe, fontaine
Tortues, dessinée par
omo Della Porta (1584).
inagoga (C D2)
*ostra permanente della
unità Israelitica Lung.
enci. Tél. 06 68 40 06 61
-jeu. 9h-19h30,
9h-13h30, dim. 9h-12h*
iges archéologiques de
toire tourmentée de la
ancienne communauté
ome, installée dès
ise de Jérusalem en
63 av. J.-C. À partir de 1555, elle est cantonnée au cœur d'un ghetto ceint d'une muraille qui ne tombera qu'en 1870. Exposition d'objets de culte, estampes, argenterie (6 €).

★ Teatro di Marcello (C D2)
→ *Via del Portico d'Ottavia, 29 (réservation mer.-ven. 9h-13h par tél. 06 67 10 38 19 ou fax 06 68 92 115) Prix : 2,07 €*
Ce théâtre grandiose, surmonté d'un palais construit par Peruzzi (XVIe s.), pouvait, du temps d'Auguste, accueillir 15 000 personnes. Plus loin, le portique dédié à sa sœur Octavie faisait partie d'un plus vaste ensemble incluant temples et curie.

★ Santa Maria in Cosmedin (C D3)
→ *Piazza Bocca della Verità, 18 Tél. 06 678 14 19 Tlj. 9h-17h*
L'émouvante simplicité d'une église du VIIIe siècle, dominée par un des plus beaux campaniles romans de la ville. Sous le portique, nombreux sont ceux à se soumettre au jugement divin, engouffrant leur bras dans la Bocca della Verità censée happer la main des menteurs.

★ Aventino (C D4)
Une colline ponctuée de parcs et de jardins où dorment de petits trésors. Dans le parco Savello, le jardin des Orangers et un incroyable panorama sur la ville. À côté, la belle basilique Santa Sabina (Ve s.), puis la place des Chevaliers-de-Malte, son église et sa villa (par le trou de la serrure du portail, apparaît, comme par magie, le dôme de Saint-Pierre).

★ Testaccio (C C5)
L'accumulation de débris d'amphores durant des siècles (140 av. J.-C.-250 apr. J.-C.) forma une colline de 35 m de haut au milieu des champs. Dans des galeries creusées sous le mont se sont installés d'insolites bars et restaurants.

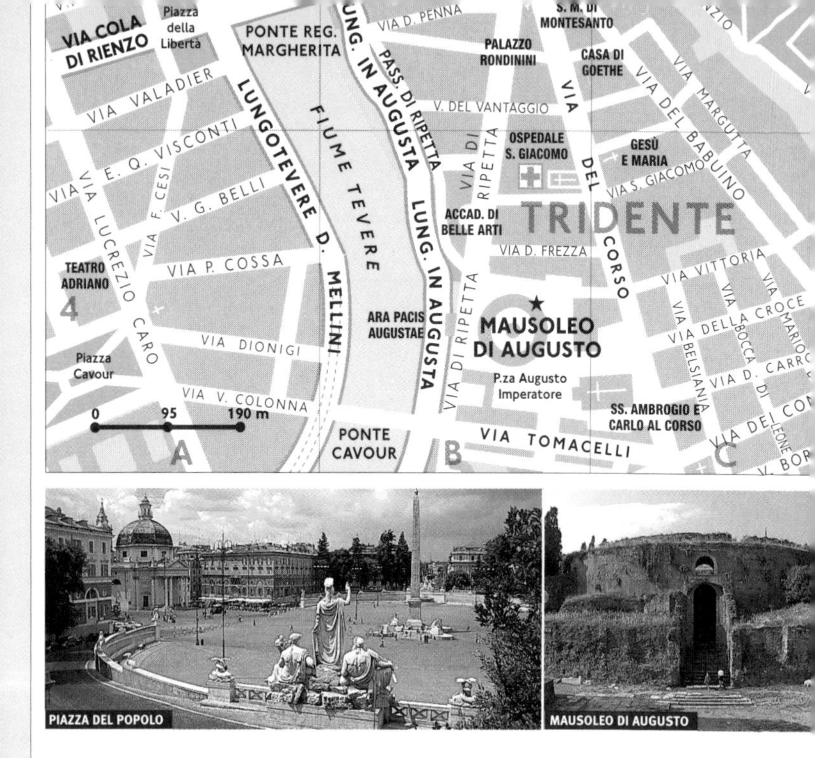

PIAZZA DEL POPOLO

MAUSOLEO DI AUGUSTO

★ **Parco della Villa Borghese (D** D2)
→ *Piazzale Flaminio / Porta Pinciana / Pincio.*
Le plus beau et l'un des plus grands parcs de Rome créé vers 1605 par Scipion Borghèse. À voir : le lac et son temple à Esculape (XVIIIe s.), la Piazza di Siena et son amphithéâtre de pelouses. Autour du Casino ("petite maison") : le jardin des Agrumes (140 essences), le jardin des Bulbes (crocus, narcis, jacinthes) et le jardin de la Méridienne (parterres de violettes et tulipes).

★ **Museo e Galleria Borghese (D** F2)
→ *Piazza S. Borghese, 5*
Tél. 06 32 810 (rés.) Tlj. 9h-19h Visite sur rdv. Prix 8,03 €
Raphaël, Corrège, Titien, Caravage, mais aussi une galerie de sculptures. Le cardinal Scipion Borghèse, grand amateur d'art, fait agrandir son casino au XVIIIe siècle pour recevoir sa collection privée, la plus belle de Rome. *Apollon et Daphné*, *L'Enlèvement de Proserpine* du Bernin, *Pauline Borghèse* par Canova.

★ **Museo Nazionale Etrusco di Villa Giulia (D** C1)
→ *Piazza di Villa Giulia, 9*
Tél. 06 322 65 71
Tlj. sauf lun. 8h30-19h30
Prix 4 €
Dans l'élégante villa de plaisance de Jules III, bâtie en 1551 par Vignole et Ammannati, un musée consacré à la civilisation étrusque (antiquités préromaines d'Italie centrale). À voir : le portique en demi-cercle, avec ses pergolas en trompe l'œil, ouvrant sur le jardin à l'italienne de la villa.

★ **Galleria Nazionale d'Arte Moderna (D** D1)
→ *Via delle Belle Arti, 131*
Tél. 06 32 29 81 Mar.-dim. 8h30-19h30 Prix 6,50 €
Une des plus intéressantes collections de peinture et de sculpture italiennes des XIXe et XXe siècles : école néoclassique, romantiq futuriste... Parmi les arti du Novecento (XXe s.) : Chirico, Morandi, Marin

★ **Santa Maria del Popolo (D** B3)
→ *Piazza del Popolo, 12*
Tél. 06 361 08 36
Lun.-sam. 7h-19h, dim. 7h30-13h30, 16h30-19h
Église de la Renaissanc réaménagée par les plus grands architectes (le Bernin, Raphaël, Fontana). Dans la chap Cerasi se font face 2 che d'œuvre du Caravage : la *Conversion de saint P* et la *Crucifixion de saint Pierre*.

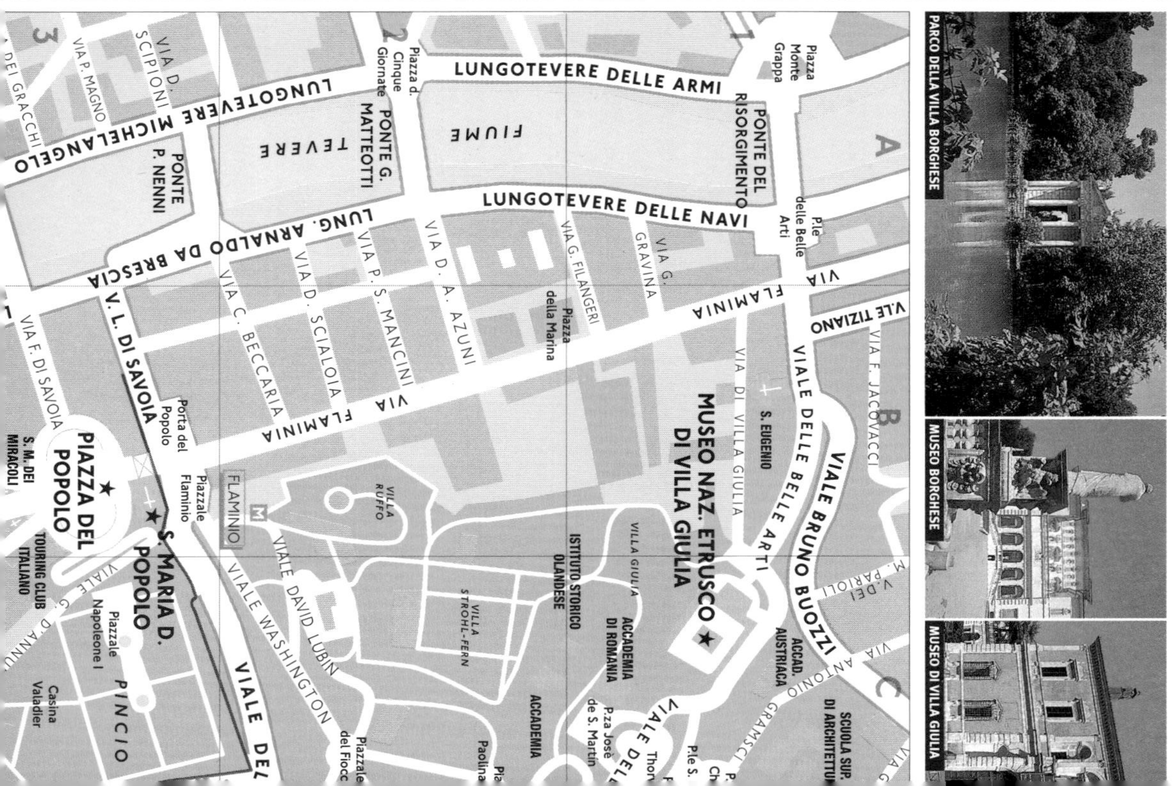

PARCO DELLA VILLA BORGHESE
MUSEO BORGHESE
MUSEO DI VILLA GIULIA
PIAZZA DEL POPOLO
S. MARIA D. POPOLO
S. M. DEI MIRACOLI
TOURING CLUB ITALIANO
PINCIO
Piazzale Napoleone I
Casina Valadier
VIA F. DI SAVOIA
V. L. DI SAVOIA
Porta del Popolo
Piazzale Flaminio
FLAMINIO
VIALE DEL
VIALE WASHINGTON
VIALE DAVID LUBIN
Piazzale del Fiocc
VILLA RUFFO
VILLA STROHL-FERN
ACCADEMIA
Paolina
ISTITUTO STORICO OLANDESE
ACCADEMIA DI ROMANIA
P.za José de S. Martin
VIALE DELL
VILLA GIULIA
MUSEO NAZ. ETRUSCO DI VILLA GIULIA
VIA DI VILLA GIULIA
S. EUGENIO
VIALE DELLE BELLE ARTI
VIALE BRUNO BUOZZI
ACCAD. AUSTRIACA
SCUOLA SUP. DI ARCHITETTU
VIA ANTONIO GRAMSCI
V. DEI M. PARIOLI
VIA F. JACOVACCI
V.LE TIZIANO
VIA FLAMINIA
P.le delle Belle Arti
VIA G. GRAVINA
VIA G. FILANGERI
Piazza della Marina
VIA D. A. AZUNI
VIA P. S. MANCINI
VIA D. SCIALOIA
VIA C. BECCARIA
LUNG. ARNALDO DA BRESCIA
LUNGOTEVERE DELLE NAVI
LUNGOTEVERE DELLE ARMI
LUNGOTEVERE MICHELANGELO
PONTE DEL RISORGIMENTO
PONTE G. MATTEOTTI
PONTE P. NENNI
FIUME
TEVERE
Piazza Monte Grappa
Piazza d. Cinque Giornate
VIA D. SCIPIONI
VIA P. MAGNO
DEI GRACCHI
A
B
C
1
2
3

D

Tridente / Piazza del Popolo / Villa Borghese

La Villa Borghese, lieu magique où les Romains se réfugient l'été pour trouver un peu de fraîcheur à l'ombre des grands arbres. Puis la colline du Pincio qui domine la ville ; au loin, le dôme de San Pietro, à vos pieds, la superbe Piazza del Popolo d'où partent les trois rues qui forment le Tridente : boutiques de luxe, cafés chics, les plus grands noms de la mode ont ici pignon sur rue. Au bout de la Via del Babuino, la Piazza di Spagna et la sublime envolée de marches de la Trinità dei Monti, scénographie qui frôle la perfection ! Sur les marches, point de rendez-vous favori des Romains, se nouent bien des rencontres...

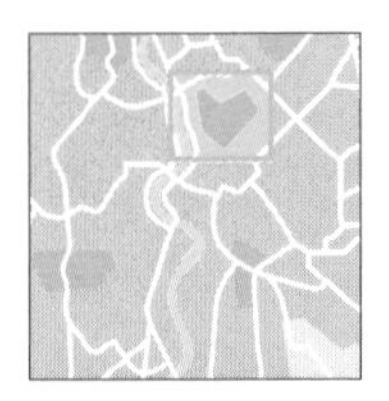

OTELLO ALLA CONCORDIA

CAFFÈ GRECO

RESTAURANTS, PIZZERIAS

Pizza Rè (D B4)
→ *Via di Ripetta, 14*
Tél. 06 321 14 68 Tlj. 13h-15h30, 19h30-jusque tard
Fermé 15 j. en août
Pizzas napolitaines (pâte épaisse). Une carte de 35 variétés (12 € env.). Très bonnes fritures.

Fior Fiore (D C4)
→ *Via della Croce, 17/18*
Tél. 06 679 13 86
Tlj. 11h-19h30
Près de la Piazza di Spagna, d'excellentes *pizze al taglio* (à la coupe, env. 16 € le kg).
20 variétés – goûter celle *al radicchio* (chicorée rouge) –, mais aussi biscuits secs, pâtes...

Otello alla Concordia (D C4)
→ *Via della Croce, 81*
Tél. 06 679 11 78 Lun.-sam. 12h30-15h, 19h30-23h
Pour un repas au frais, dans une petite cour pleine de verdure. Cuisine romaine. Carte 25 €. Menu fixe 20 €.

'Gusto (D B4)
→ *Piazza Augusto Imperatore, 9*
Tél. 06 322 62 73
Tlj. 13h-15h, 19h30-1h
Au pied du mausolée d'Auguste, un complexe à l'américaine de 900 m². Restaurant, pizzeria, bar à vin, œnothèque et librairie culinaire ! Au restaurant (à l'étage) : plats italiens (soupes, pâtes), orientaux (couscous) et asiatiques. Carte 40 € env.
Au rez-de-chaussée, 30 sortes de pizzas, fritures, *bruschette*... Brunch sam. et dim.

Antico Bottaro (D B3)
→ *Passeggiata di Ripetta, 15 Tél. 06 323 67 63*
Mar.-dim. 20h-0h
Fermé 3 sem. en août
Délicate cuisine de la mer napolitaine. Fruits de mer, pâtes – *linguine all' aragosta* (langouste) – et grillades de poisson. 40/50 € (couvert en sus).

Penna d'Oca (D B3)
→ *Via della Penna, 53*
Tél. 06 320 28 98
Lun. sam. 20h-0h30 Fermé 15 j. en août et en janv.
Une cuisine imaginative, un cadre intime et une jolie terrasse à 2 min. de la Piazza del Popolo. Nombreux plats de poisson : *cuori di gambero* (homard), *pesce al tartuffo* (poisson à la truffe), *code di aragostina* (langoustines).
Des vins : 300 crus du monde entier.
45/50 € sans les vins.

NDOTTI
VERSACE
SPAZIO CORTO MALTESE

CAFÉ

Antico Caffè Greco (D C4)
→ *Via dei Condotti, 86*
Tél. 06 679 17 00
Tlj. 8h-20h30
Stendhal, Ungharetti, Leopardi... les plus grands écrivains se sont succédé sur les banquettes de ce café fondé en 1760. Les lieux ont été conservés intacts : petites tables de marbre, murs aux tentures rouges, sculptures, tableaux... et serveurs en queue-de-pie. Pâtisseries, cappuccino, glaces... à déguster en salle. Prix plus abordables au bar.

BARS, PUBS, THÉÂTRES

L'EnotecAntica (D C4)
→ *Via della Croce, 76b*
Tél. 06 679 08 96 Tlj. 11h-1h
Une jolie *vineria* à la décoration résolument kitsch ! Fresques d'angelots sur les murs et musique branchée en fond sonore. À goûter : le *fragolino* (vin rouge sucré au doux parfum de fraise). Restaurant au fond de la salle (8,50 € env.).
Gregory's Pub (D D4)
→ *Via Gregoriana, 54a*
Tél. 06 679 63 86 Mar.-dim. 20h30-3h30 Fermé en août
Au rez-de-chaussée un petit pub calme et sympathique. À l'étage, une salle très basse de plafond, quelques tables et de confortables canapés pour assister aux *jam sessions* du mercredi (jazzmen italiens). Une ambiance intime et une vraie connivence entre les musiciens et le public. 75 whiskies à la carte. Première conso. 8 € les soirs de concert.
Teatro Sistina (D D4)
→ *Via Sistina, 129*
Tél. 06 420 07 11
Tlj. 10h-19h (billets) ; mar.-sam. 21h, dim. 17h (spectacle)
Théâtre tout entier dédié à la comédie musicale. Excellente acoustique.

SHOPPING

Via dei Condotti (D C4)
Les plus grands noms de la haute couture.
Giorgio Armani
→ *n° 77 Tél. 06 699 14 60*
Max Mara
→ *n° 18*
Tél. 06 6992 21 04
Prada
→ *n° 92-5 Tél. 06 679 08 97*
Via Borgognona (D C4)
La rue parallèle à la Via dei Condotti.
Fendi
→ *n° 36/39*
Tél. 06 69 66 61
Cuirs, fourrures.
Gianfranco Ferrè
→ *n° 6*
Tél. 06 679 74 45
Gianni Versace
→ *n° 25 Tél. 06 679 50 37*
DA Dress Agency (D B3)
→ *Via del Vantaggio, 1b*
Tél. 06 321 08 98
Tlj. 16h-19h30, sauf dim.
Prêt-à-porter et haute couture à prix cassés. De 5 à 2000 €.
Eco Wear (D B3)
→ *Via del Vantaggio, 26*
Tél. 06 3600 32 34
Lun. 16h-19h30, mar.-sam. 10h-19h30
Une minuscule boutique pour une belle ligne de vêtements en pur lin (homme et femme). Aucune teinture du tissu, les différents tons sont obtenus grâce à des variétés de lin différentes.
Buccone (D B4)
→ *Via di Ripetta, 19/20*
Tél. 06 361 21 54
Lun.-jeu. 9h-20h30, ven. / sam. 9h-0h
Fermé 3 sem. en août
Vins, liqueurs, conserves s'empilent jusqu'au plafond. Une très belle cave-épicerie fine, traiteur à l'ancienne. Pâtisseries, plats à emporter ou à déguster sur place (16 € env.).
C.u.c.i.n.a. (D C4)
→ *Via Mario de' Fiori, 65*
Tél. 06 679 12 75 Lun. 15h30-19h30, mar.-ven. 10h-19h30, sam. 10h30-19h30
"Comment Une Cuisine Inspire de Nouveaux Appétits". Accessoires design pour la cuisine : ustensiles pour façonner les pâtes fraîches, cafetières italiennes, dont une ingénieuse petite *caffetiera espresso*, à poser directement sur le feu : le café coule dans une petite tasse posée sur le rebord !
Spazio Corto Maltese (D C3)
→ *Via Margutta, 96*
Tél. 06 3265 05 15
Lun. 16h-19h30, mar.-sam. 10h30-13h30, 16h-19h30
Une toute petite librairie de bandes dessinées, dans une des ruelles les plus jolies du quartier. Tous les albums de Hugo Pratt en version originale ! Lithographies numérotées.
Borghetto Flaminio (D B2)
→ *Piazza della Marina, 32*
Sep.-juin : dim. 9h-19h
Vêtements, livres et objets divers. Très bonnes affaires possibles. Entrée 2 €.

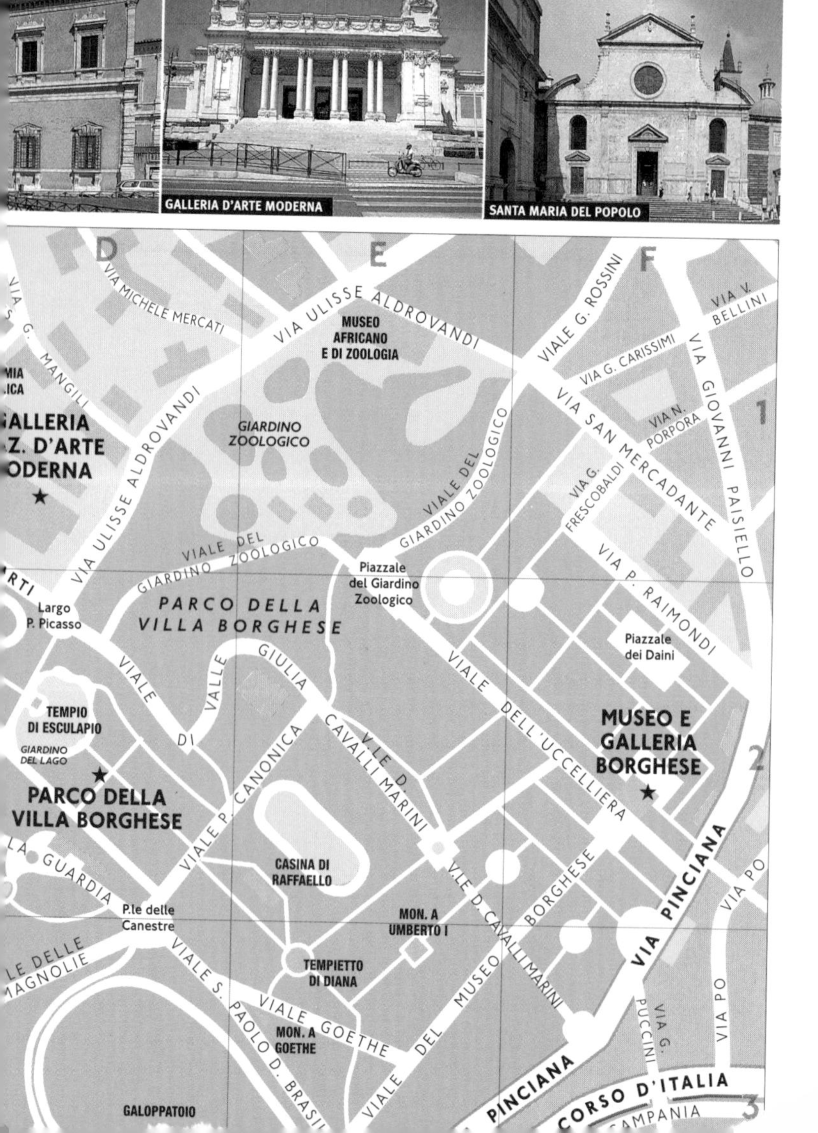
GALLERIA D'ARTE MODERNA
SANTA MARIA DEL POPOLO
D
E
F
1
2
3
VIA MICHELE MERCATI
VIA ULISSE ALDROVANDI
MUSEO AFRICANO E DI ZOOLOGIA
VIALE G. ROSSINI
VIA V. BELLINI
VIA G. CARISSIMI
VIA GIOVANNI PAISIELLO
VIA N. PORPORA
VIA SAN MERCADANTE
VIA G. FRESCOBALDI
VIA P. RAIMONDI
G. MANGILI
GIARDINO ZOOLOGICO
VIALE DEL GIARDINO ZOOLOGICO
Piazzale del Giardino Zoologico
PARCO DELLA VILLA BORGHESE
Largo P. Picasso
Piazzale dei Daini
VIALE DELL'UCCELLIERA
MUSEO E GALLERIA BORGHESE
VIALE DI VALLE GIULIA
TEMPIO DI ESCULAPIO
GIARDINO DEL LAGO
V.LE D. CAVALLI MARINI
VIALE P. CANONICA
CASINA DI RAFFAELLO
VIALE DEL MUSEO BORGHESE
VIA PINCIANA
VIA PO
LA GUARDIA
P.le delle Canestre
MON. A UMBERTO I
TEMPIETTO DI DIANA
VIALE S. PAOLO D. BRASI
VIALE GOETHE
MON. A GOETHE
VIA G. PUCCINI
CORSO D'ITALIA
CAMPANIA
PINCIANA
GALOPPATOIO

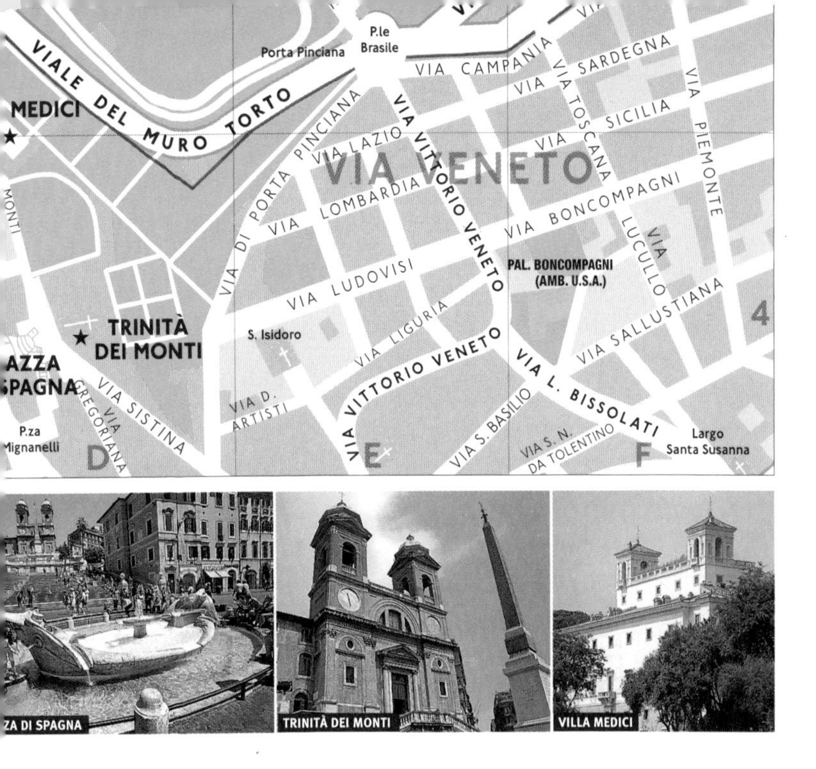

ZA DI SPAGNA

TRINITÀ DEI MONTI

VILLA MEDICI

iazza del Popolo (D B3)
lébut du XVIe s. la place
seulement bordée par
ta Maria del Popolo.
st en 1589 que Sixte
nt érige l'obélisque de
nsès II et lui donne un
tre. En 1675 Rainaldi
ute 2 églises jumelles
part et d'autre de la
del Corso. Au XIXe s.,
adier ouvre la place
2 hémicycles, la relie
Pincio et donne toute
ohérence à l'ensemble.
lime vue de la colline
Pincio.

Mausoleo di Augusto
34)
iazza Augusto Imperatore
06 671 038 19 Sam.-dim. visite sur rdv. (tél. mar.-ven. de 9h à 13h) Prix 2,07 €
En 29 av. J.-C., Auguste s'était fait bâtir en guise de sépulture l'un des plus imposants monuments de la Rome antique. Seul vestige de sa splendeur passée, les ruines d'un édifice circulaire de 87 m de diamètre mis au jour dans les années 1930.

★ Piazza di Spagna
(D D4)
Un des plus merveilleux ensembles urbanistiques de Rome composé de cette place triangulaire, de la Fontana della Barcaccia (1627-1629) qui serait l'œuvre du Bernin (père ou fils) et du splendide escalier à paliers de De Sanctis (1723) qui rejoint l'église Trinità dei Monti en haut du Pincio.

★ Trinità dei Monti
(D D4)
→ *Piazza della Trinità dei Monti, 3 Tél. 06 67 94 179 Tlj. 9h-20h*
L'église française de la Trinité-des-Monts (XVIe s.), surmontée de ses 2 clochers à dôme, abrite une série de fresques maniéristes de Daniele da Volterra dont la *Déposition de croix*, qui aurait été exécutée d'après un dessin de Michel-Ange. Du parvis, vue plongeante sur la Via Condotti.

★ Villa Medici (D D3)
→ *Viale della Trinità dei Monti, 1 Tél. 06 676 11 Sam. et dim. visites guidées à 10h30 et 11h30. Prix : 6,20 €*
Siège de l'Académie de France depuis 1804 : un cadre unique mis à disposition des jeunes artistes français venus compléter ici leur formation. Derrière son austère façade, la villa (XVIe s.) dévoile une architecture plus ornée et un somptueux jardin à l'italienne. Expos d'art contemporain parfois organisées dans le jardin : l'occasion de découvrir ce lieu magique d'ordinaire fermé au public.

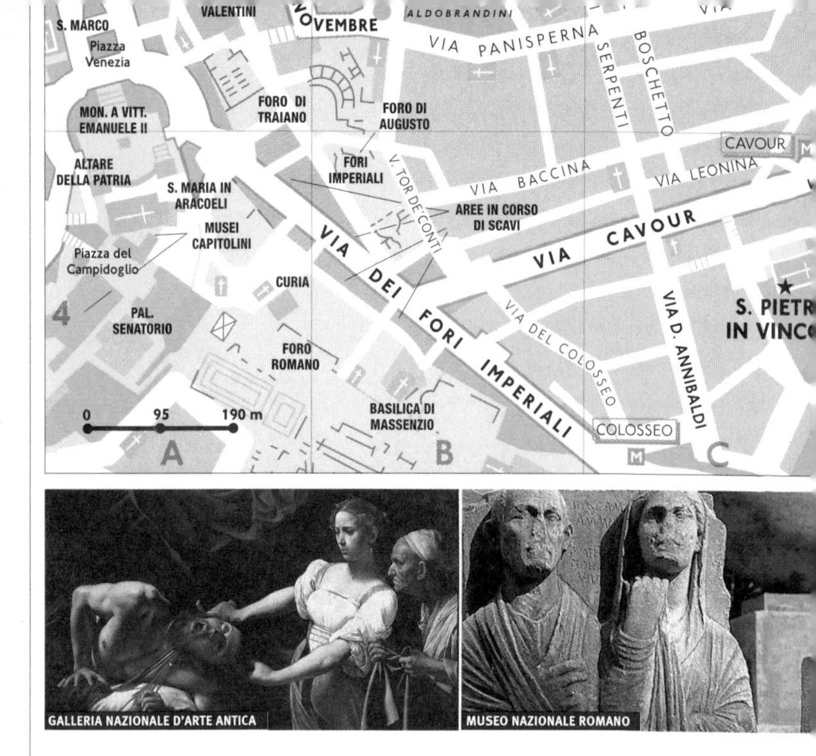

GALLERIA NAZIONALE D'ARTE ANTICA

MUSEO NAZIONALE ROMANO

★ Fontana di Trevi (E A2)
→ *Piazza di Trevi*
La célèbre et démesurée fontaine de Nicolò Salvi (1762), immortalisée par Fellini dans *La Dolce Vita*. Y jeter une pièce par-dessus son épaule serait promesse d'un retour certain dans la Ville éternelle.

★ Galleria Colonna (E A3)
→ *Via della Pilotta, 17*
Tél. 06 67 84 350 Sam. 9h-13h Fermé août Prix 7 €
Une collection de peintures (XVe-XVIIe s.) dans un des plus intéressants intérieurs baroques de Rome.

★ Palazzo del Quirinale (E B2)
→ *Piazza del Quirinale*
Tél. 06 46 99 25 68 Dim. 8h30-12h30 Prix 5 €
Résidence d'été des papes de 1592 à 1870, demeure des rois d'Italie jusqu'en 1944, où le palais devient siège de la présidence de la République. Presque tous les architectes romains de la Contre-Réforme et du Baroque y ont laissé leur trace. À l'intérieur, magnifique escalier hélicoïdal dû à Mascarino (XVIe s.). Époustouflant panorama sur la ville.

★ Sant'Andrea al Quirinale (E C2)
→ *Via del Quirinale, 29*
Tél. 06 48 90 31 87
Mer.-lun. 8h-12h, 16h-17h30 (10h-12h en août)
Le chef-d'œuvre du Bernin. Pour tirer le meilleur parti de l'exiguïté du lieu, il conçoit une église de plan elliptique, entièrement surmontée d'un dôme : la lumière filtrant par les fenêtres de la coupole, les dorures et le stuc blanc des anges répondent avec éclat aux marbres polychromes de la partie inférieure.

★ San Carlo alle Quattro Fontane (E C2)
→ *Via del Quirinale, 23*
Tél. 06 488 32 61
Lun.-ven. 10h-13h, 15h-17h30, sam. 10h-13h
La première réalisation [illegible] Borromini à Rome, ache[illegible] après sa mort, en 1685. [illegible] minuscule joyau baroq[illegible] en total décalage avec [illegible] monumentales réalisat[illegible] de l'époque. Les incess[illegible] jeux de courbes et de contre-courbes créent une saisissante impres[illegible] de mouvement de la structure tout entière. Étonnante coupole où s'entremêlent croix, octogones et hexagone[illegible]

★ Terme di Dioclezia[illegible] (E D1)
→ *Via E. De Nicola, 79*
Tél. 06 478 26 152 Mar.-d[illegible] 9h-19h Prix 5 €
L'ampleur des vestiges

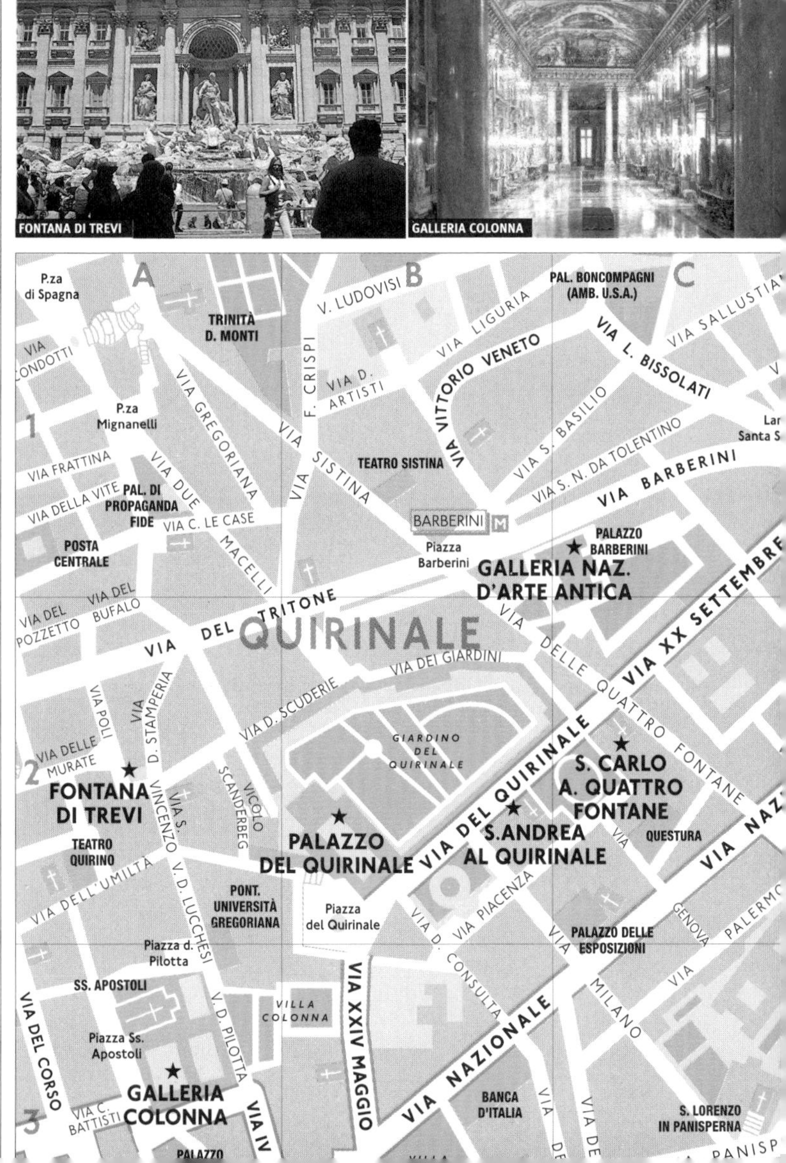
FONTANA DI TREVI
GALLERIA COLONNA
QUIRINALE
P.za di Spagna
TRINITÀ D. MONTI
PAL. BONCOMPAGNI (AMB. U.S.A.)
V. LUDOVISI
VIA LIGURIA
VIA VITTORIO VENETO
VIA L. BISSOLATI
VIA SALLUSTIANA
VIA CONDOTTI
VIA D. ARTISTI
F. CRISPI
VIA SISTINA
VIA GREGORIANA
P.za Mignanelli
VIA FRATTINA
VIA DUE MACELLI
VIA DELLA VITE
PAL. DI PROPAGANDA FIDE
VIA C. LE CASE
POSTA CENTRALE
TEATRO SISTINA
VIA S. BASILIO
VIA S. N. DA TOLENTINO
VIA BARBERINI
BARBERINI
Piazza Barberini
PALAZZO BARBERINI
GALLERIA NAZ. D'ARTE ANTICA
VIA XX SETTEMBRE
VIA DEL TRITONE
VIA DEL BUFALO
VIA DEL POZZETTO
VIA DELLE QUATTRO FONTANE
VIA DEI GIARDINI
VIA D. SCUDERIE
GIARDINO DEL QUIRINALE
VIA POLI
VIA D. STAMPERIA
VIA DELLE MURATE
FONTANA DI TREVI
VIA S. VINCENZO
VICOLO SCANDERBEG
PALAZZO DEL QUIRINALE
VIA DEL QUIRINALE
S. CARLO A. QUATTRO FONTANE
S.ANDREA AL QUIRINALE
QUESTURA
VIA NAZIONALE
TEATRO QUIRINO
VIA DELL'UMILTÀ
V. D. LUCCHESI
PONT. UNIVERSITÀ GREGORIANA
Piazza del Quirinale
VIA PIACENZA
VIA D. CONSULTA
VIA GENOVA
VIA PALERMO
PALAZZO DELLE ESPOSIZIONI
Piazza d. Pilotta
SS. APOSTOLI
V. D. PILOTTA
VILLA COLONNA
VIA XXIV MAGGIO
VIA MILANO
VIA DEL CORSO
Piazza Ss. Apostoli
GALLERIA COLONNA
VIA C. BATTISTI
VIA IV
BANCA D'ITALIA
S. LORENZO IN PANISPERNA
PALAZZO

L'Esquilino, la plus grande colline de Rome, dominée par Santa Maria Maggiore, s'étend du Colisée à Termini. À l'est, le quartier devient très cosmopolite aux abords de la Piazza Vittorio Emanuele II qui, du lundi au samedi, s'anime d'un marché populaire et coloré. Le Rione Monti, sur le flanc ouest de l'Esquilino, dévoile de jolies ruelles fleuries et de nombreuses petites églises. Encore à l'ouest, la colline du Quirinale offre de magnifiques points de vue sur la ville. Empruntant d'adorables ruelles ponctuées d'églises baroques, on redescend ensuite vers la célèbre fontaine de Trevi...

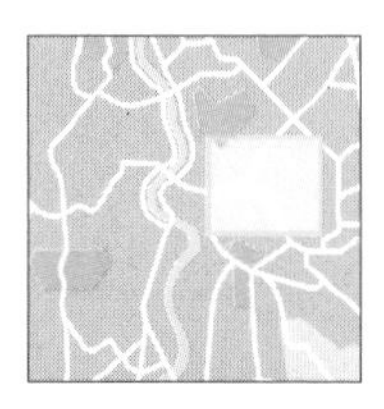

OLIVELLA & MARIAROSA — AGATA & ROMEO

Restaurants

Africa (E E1)
→ *Via Gaeta, 26*
Tél. 06 494 10 77
Mar.-dim. 8h-0h
À 2 minutes de Termini, une excellente cuisine érythréenne aux saveurs épicées. Le matin, petit déjeuner érythréen à base de yaourt et de *ful* (ragout de fèves). 10-20 €.

Piccolo Arancio (E A2)
→ *Vicolo Scanderbeg, 112*
Tél. 06 678 61 39
Mar.-dim. 12h-15h30, 19h-0h
Magnifique *risotto al radicchio* (chicorée rouge), étonnants *ravioli d'arancio* (à l'orange), succulente *faraona al arancio* (grouse à l'orange) et bon choix de poissons. En été, agréable terrasse donnant sur la place en contrebas du Quirinale. 18-23 €.

Trimani Wine Bar (E D1)
→ *Via Cernaia, 37b*
Tél. 06 446 96 30
Lun.-sam. 11h30-0h
Fermé 10 j. en août
À proximité des thermes de Dioclétien, le bar à vin de la plus ancienne famille de cavistes de Rome. Le patron est aussi un amateur de bonne chair. *Linguine* aux olives et au thon, saumon frais aux pommes de terre, charcuteries, fromages, condiments maison (moutarde aux cerises et oignons) et 600 crus (à partir de 2 € le verre). Une vraie carte de desserts (marrons piémontais au sirop, crème fouettée et meringue). Menu à partir de 6 €.

Olivella & Mariarosa (E C3)
→ *Via del Boschetto, 73*
Tél. 06 48 67 81
Lun.-ven. 12h30-15h, 19h30-23h ; sam. 19h30-23h Fermé en août
Une jolie façade fleurie, une charmante terrasse et un cadre plutôt intime. *Radicchio e scamorza* (chicorée et fromage), pâtes (*linguine in caramella*) suivis d'un *rombo in crosta con carciofi* (turbot en croûte et artichauts). 35 €.

Goffredo (E C3)
→ *Via Panisperna, 231*
Tél. 06 474 06 20
Mar.-dim. 12h-15h, 19h-23h
Une cuisine traditionnelle inventive. En *primi* : *risotto al champagne* ou *alla crema di scampi* (velouté de crevettes) et les traditionnelles pâtes romaines. En *secondi* : plats de viande (*osso bucco, filetto Rossini, scaloppe valdostana*)

PIAZZA VITTORIO EMANUELE

SANTINI GIACOMO

et de poisson.
3 menus 20-40 €.

Hasekura (E B-C3-4)
→ *Via dei Serpenti, 27*
Tél. 06 48 36 48
Lun.-sam. 12h-14h30, 19h-22h30 Fermé en août
Un décor sobre et discret, pour une très bonne cuisine japonaise : soupes, *tempura*, *tôfu*, *sashimi*, *sushi*.
Menus midi 15 à 30 €, menus soir 30 à 40 €.

Agata & Romeo (E E3)
→ *Via Carlo Alberto, 45*
Tél. 06 446 61 15
Lun.-ven. 13h-15h, 20h-23h
Fermé en août et début jan.
Une cuisine du Latium et de Campanie, inventive et exceptionnelle de virtuosité. Petits ravioli d'espadon et haricots, darnes de thon au foie gras d'oie. Plus de 1 500 crus. 120 € vin compris.

CAFÉS, GLACIER

Palazzo del Freddo (E F4)
→ *Via Principe Eugenio, 65/67 Tél. 06 446 47 40 Mar.-sam. 12h-0h, dim. 10h-0h*
Le "palais du froid" de Giovanni Fassi né en 1880 a initié des générations de Romains aux plaisirs de la glace. Des dizaines de parfums. Cornets à partir de 1,30 €.

Antico Caffè del Brasile (E C3)
→ *Via dei Serpenti, 23*
Tél. 06 488 23 19 Lun.-sam. 6h-20h30, dim. 7h-14h
Fermé 1 sem. au 15 août
Pour les amateurs d'*espresso* : *alla viennese* (cacao et crème fouettée), *alla spagnola* (brandy et crème), *alla giamaicana* (rhum et crème)...
Café à partir de 0,60 €.

Panella (E E3-4)
→ *Via Merulana, 54*
Tél. 06 487 24 35
Lun.-sam. 8h-14h, 17h-20h ; dim. 8h-13h30
Fermé le dim. en juil.-août
Plus de 100 variétés de pains : roquette-olives, *peperoni*, levain et olives vertes de Ligure... dont certaines recettes antiques (*panis quadratus*, *farreus*, *nauticus*...).
Apéritif le dim. matin : goûter au cocktail la Marronita (marrons glacés, prosecco, rhum).

BARS, PUBS, OPÉRA

Cavour 313 (E C4)
→ *Via Cavour, 313*
Tél. 06 678 54 96 Lun.-sam. 12h30-14h30, 19h30-0h30 (et dim. soir d'oct. à juin)
On vient y boire un verre de vin (plus de 1 200 crus de toutes les régions d'Italie, à partir de 2,50 € le verre) que l'on peut accompagner d'excellents *carpacci*, plats du jour et fromages. 17/30 €.

Fiddler's Elbow (E D3)
→ *Via dell' Olmata, 43*
Tél. 06 487 21 10
Tlj. 17h-1h30
Un des nombreux pubs de la zone Cavour.
Un bar tout en longueur et une déco typiquement irlandaise. Pub *crawl* organisé avec 2 autres bars de la zone.

Druid's Den (E D-E3)
→ *Via San Martino ai Monti, 28 Tél. 06 489 047 81*
Tlj. 18h-1h30 (17h-1h30 sam. et dim.)
Un pub chaleureux tenu par une Irlandaise.
Musique irlandaise (lun.), jazz (ven.).

Teatro dell'Opera (E D2)
→ *Via Firenze, 72*
Tél. 06 48 16 02 55 Mar.-sam. 9h-17h, dim. 9h-13h
Grands opéras populaires, concerts et récitals de qualité.

SHOPPING

Mercato della Piazza Vittorio Emanuele II (E F4)
→ *Lun.-sam. 8h-13h*
Un vrai marché populaire. *Alimentari* (épiceries), étals de légumes, épices, poissons et une joyeuse ambiance mêlant des populations de toutes nationalités. En été, les vendeurs de pastèques s'installent aux 4 coins de la place.

Santini Giacomo (E C4)
→ *Via Cavour, 106*
Tél. 06 488 09 34 Lun.-sam. 9h30-13h, 15h30-19h30
Fermé lun. matin et dim.
Les chaussures de Santini soldées à - 50 % et plus, tout au long de l'année.

Metropoli Rock (E C4)
→ *Via Cavour, 72*
Tél. 06 488 04 43
Lun.-ven. 9h30-20h, sam. 9h30-13h30, 16h-20h
Pour les amateurs de vinyles, près de 300 000 titres, tous genres confondus.
CD neufs et d'occasion (rez-de-chaussée).

Il Tarlo (E C3)
→ *Via del Boschetto, 2a*
Tél. 06 474 40 01 Mar.-sam. 9h30-20h, lun. 16h-20h
Ferronneries, kilims, bâtons de pluie, lampes, marionnettes balinaises, joli mobilier exotique à prix très raisonnable.
La 2e boutique, Il Tesoro (*Via dei Serpenti, 135*), propose tissus, bijoux, vêtements en provenance des 4 coins du globe.

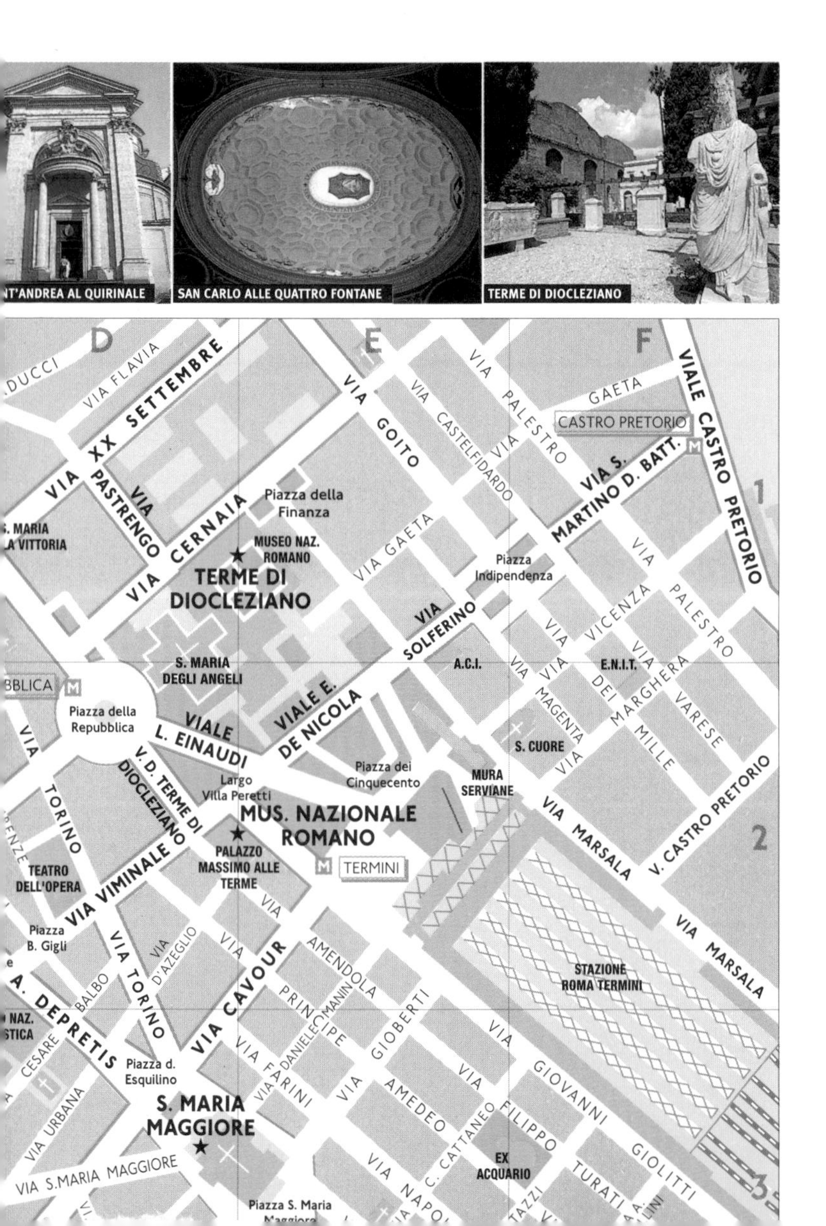
T'ANDREA AL QUIRINALE
SAN CARLO ALLE QUATTRO FONTANE
TERME DI DIOCLEZIANO
D
E
F
1
2
VIA XX SETTEMBRE
VIA FLAVIA
VIA PASTRENGO
VIA CERNAIA
S. MARIA
LA VITTORIA
Piazza della
Finanza
MUSEO NAZ.
ROMANO
TERME DI
DIOCLEZIANO
VIA GOITO
VIA CASTELFIDARDO
VIA PALESTRO
GAETA
CASTRO PRETORIO
VIALE CASTRO PRETORIO
VIA S. MARTINO D. BATT.
VIA GAETA
Piazza
Indipendenza
VIA SOLFERINO
VIA VICENZA
S. MARIA
DEGLI ANGELI
A.C.I.
E.N.I.T.
VIA DEI MILLE
VIA MAGENTA
VIA MARGHERA
VARESE
Piazza della
Repubblica
VIALE L. EINAUDI
VIALE E. DE NICOLA
S. CUORE
V.D. TERME DI DIOCLEZIANO
Largo
Villa Peretti
Piazza dei
Cinquecento
MURA
SERVIANE
MUS. NAZIONALE
ROMANO
PALAZZO
MASSIMO ALLE
TERME
TERMINI
VIA MARSALA
V. CASTRO PRETORIO
VIA TORINO
TEATRO
DELL'OPERA
VIA VIMINALE
Piazza
B. Gigli
VIA D'AZEGLIO
VIA CAVOUR
VIA AMENDOLA
PRINCIPE
VIA GIOBERTI
STAZIONE
ROMA TERMINI
A. DEPRETIS
BALBO
CESARE
VIA DANIELE MANIN
VIA FARINI
VIA AMEDEO
VIA GIOVANNI GIOLITTI
Piazza d.
Esquilino
S. MARIA
MAGGIORE
VIA URBANA
VIA S.MARIA MAGGIORE
C. CATTANEO
FILIPPO
EX
ACQUARIO
TURATI
VIA NAPOLI
Piazza S. Maria

LICA DI SANTA MARIA MAGGIORE

SAN PIETRO IN VINCOLI

enus jusqu'à nous
e imaginer l'immensité
es thermes bâtis entre
et 306. Une section
Musée national romain
upe plusieurs salles
lptures et antiques
différents thermes
onuments de la ville).
s la salle principale
tepidarium des
nes, la basilique
ta Maria degli Angeli,
ée par Michel-Ange,
nservé peu
éments.

**Galleria Nazionale
rte Antica (E** C1)

→ *Palazzo Barberini
delle Quattro Fontane, 13
te sur réservation
tél. 06 32 810 Mar.-dim.
9h-19h Prix 8,03 €*

Un des plus importants musées de Rome, consacré à la peinture des XIIIe-XVIIIe siècles (Filippo Lippi, Pérugin, Caravage...). Les œuvres du XVIIIe siècle ont naturellement trouvé leur place dans les salons du 2e étage, redécorés entre 1750 et 1770.

★ Museo Nazionale Romano (E E2)

→ *Palazzo Massimo alle Terme, Largo di Villa Peretti, 1 Tél. 06 481 55 76 Mar.-dim. 9h-19h45 Prix 8,03 €*

Une des plus belles collections au monde d'art antique (IIe s. av. J.-C.-IVe s). Sarcophages, bustes d'empereurs... Superbe collection d'ornements (stuc, fresques, moulures) et de mosaïques et la saisissante reconstitution du *triclinium* de la villa Livia afin de permettre à la fresque (20-10 av. J.-C.), illustrant un jardin d'éden, de retrouver son cadre d'origine.

★ Santa Maria Maggiore (E D3)

→ *Piazza Santa Maria Maggiore Tél. 06 48 31 95 Tlj. 7h-19h*

La mieux préservée des 4 basiliques paléochrétiennes majeures de la ville porte la trace de tous les styles qui se sont succédé à Rome en plus de 1 000 ans. Le long de la nef centrale, 36 panneaux de mosaïques aux vives couleurs (Ve s.) retracent des scènes de l'Ancien Testament.

★ San Pietro in Vincoli (E C4)

→ *Piazza San Pietro in Vincoli, 4a Tél. 06 488 28 65 Tlj. 7h30-12h30, 15h30-19h*

La basilique (Ve s.) conserve une précieuse relique : les chaînes (*vincoli*) qui lièrent saint Pierre dans sa prison de Jérusalem. Dans la nef de droite : le mausolée du pape Jules II et, à sa base, le *Moïse* de Michel-Ange.

PALATINO

DOMUS AUREA

SAN CLEMENTE

★ **Campidoglio (F** A1)
→ *Tél. 06 67 10 20 71 Mar.-dim. 9h-20h Prix 7,75 € (musées capitolins)*
Au XVIe siècle, Michel-Ange dessine la première place moderne de Rome, conçue comme une grande terrasse s'ouvrant sur la ville.
Les musei Capitolini, enfin rouverts au public, ont retrouvé tout leur lustre. Dans le Palazzo dei Conservatori et le Palazzo Nuovo : les toiles des plus grands maîtres italiens (XIVe-XVIIIe s.), des bustes d'empereurs, la fameuse *Louve* (V-VIe s. av. J.-C.) et, dans la cour, la tête et la main d'une colossale statue de Constantin.
Accès possible aux soubassements des monuments antiques sur lesquels furent construits les palais du Capitole.

★ **Foro Romano (F** B1)
→ *Accès Via dei Fori Imperiali / Via Sacra Tlj. lever-coucher du soleil. Gratuit*
Pour une flânerie irréelle au cœur de la Rome antique. Le Forum, centre politique, religieux et commercial de la République romaine (VIe av. J.-C.-Ier s.), s'articule autour du *comitium* (place où le peuple venait écouter les magistrats), de la *curia* (siège du Sénat), des basiliques couvertes (centres des affaires judiciaires, politiques et économiques) et des lieux de culte (temple de Saturne, des Dioscures, de Vesta).
À l'époque impériale, il est ponctué d'arcs de triomphe à la gloire des empereurs devenant ainsi le symbole de la grandeur de Rome.

★ **Fori Imperiali (F** B1)
→ *Via IV Novembre, 94 Mar.-sam. 9h-17h (18h30 avr.-sept.) Prix 5,16 €*
Des forums impériaux, conçus sous l'Empire pour désengorger le forum de César, seule a survécu la Colonna di Traiano, chef-d'œuvre déroulant sur 40 m de haut le récit des vic impériales remportée les Daces, le Mercato Traiano (107-113 apr. J.- le plus vaste, et le mie conservé des marchés et le forum d'Auguste.

★ **Palatino (F** B2)
→ *Via di San Gregorio / Sacra Tél. 06 699 01 10 dim. 9h-16h30 (19h30 er Prix 8 €*
Pour une promenade inoubliable. Surplomba le Forum romain, la col du Palatin égrène les ru des palais impériaux.
À voir : la fontaine ova la Domus Flavia (réside officielle), le cryptoport (tunnel reliant la Domu

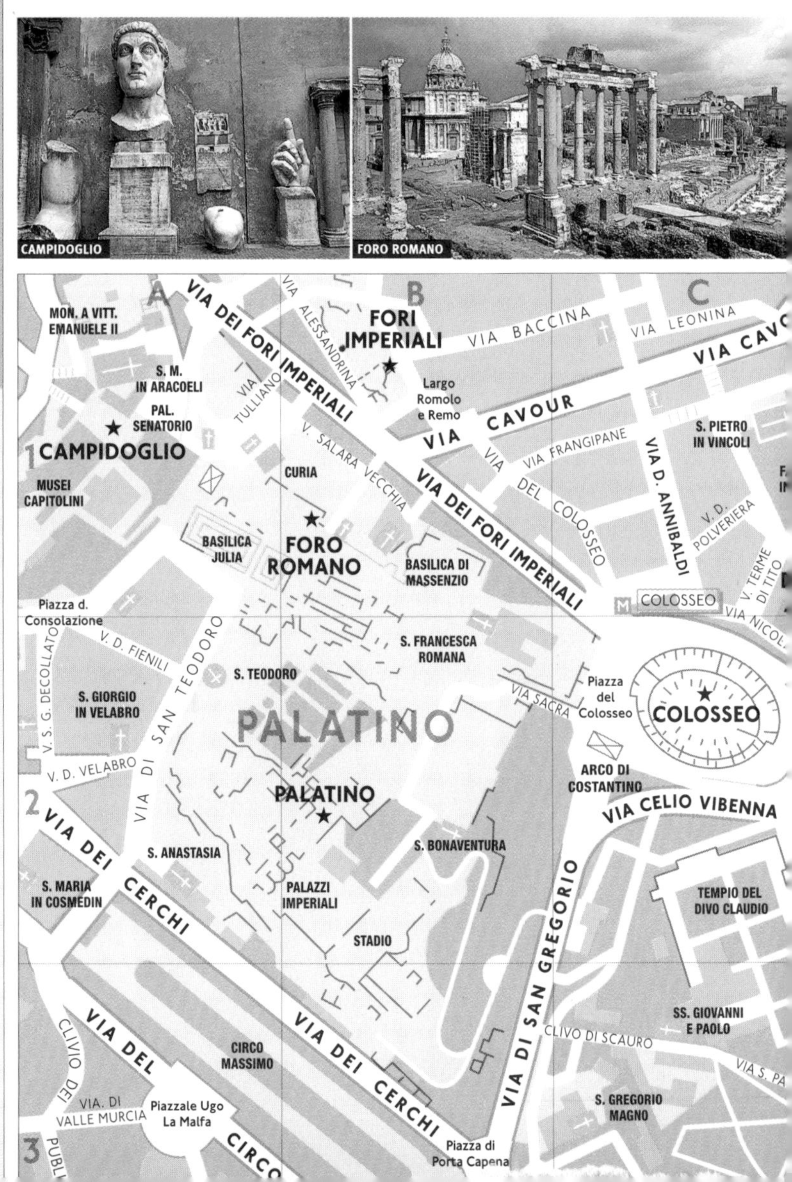
CAMPIDOGLIO
FORO ROMANO
A
B
C
1
2
3
MON. A VITT. EMANUELE II
VIA DEI FORI IMPERIALI
VIA ALESSANDRINA
FORI IMPERIALI
VIA BACCINA
VIA LEONINA
VIA CAVOUR
S. M. IN ARACOELI
VIA TULLIANO
Largo Romolo e Remo
PAL. SENATORIO
CAMPIDOGLIO
V. SALARA VECCHIA
VIA FRANGIPANE
S. PIETRO IN VINCOLI
CURIA
MUSEI CAPITOLINI
VIA DEL COLOSSEO
VIA D. ANNIBALDI
V. D. POLVERIERA
BASILICA JULIA
FORO ROMANO
BASILICA DI MASSENZIO
V. TERME DI TITO
Piazza d. Consolazione
COLOSSEO
VIA NICOL
V. D. FIENILI
S. FRANCESCA ROMANA
S. TEODORO
VIA DI SAN TEODORO
V. S. G. DECOLLATO
Piazza del Colosseo
VIA SACRA
S. GIORGIO IN VELABRO
PALATINO
COLOSSEO
V. D. VELABRO
ARCO DI COSTANTINO
PALATINO
VIA CELIO VIBENNA
VIA DEI CERCHI
S. ANASTASIA
S. BONAVENTURA
S. MARIA IN COSMEDIN
PALAZZI IMPERIALI
TEMPIO DEL DIVO CLAUDIO
STADIO
VIA DI SAN GREGORIO
SS. GIOVANNI E PAOLO
CLIVO DI SCAURO
VIA DEL CIRCO
CLIVO DEI PUBL
CIRCO MASSIMO
VIA S. PA
VIA. DI VALLE MURCIA
Piazzale Ugo La Malfa
S. GREGORIO MAGNO
Piazza di Porta Capena

Un fabuleux voyage dans le temps. De l'élégante place du Capitole, dessinée par Michel-Ange, on accède à un belvédère : vue à couper le souffle sur le Foro Romano, tandis qu'au loin on devine la silhouette du Colosseo. 12 siècles d'histoire en un seul coup d'œil ! Surplombant le forum, la colline du Palatin, magnifique en fin de journée, lorsque le soleil décline et illumine de sa lumière dorée les vestiges des villas impériales. Derrière, le Celio, une des 7 collines de Rome, et ses villas-musées aux jardins merveilleux. Au sud, les Terme di Caracalla, nés de la démesure d'un empereur.

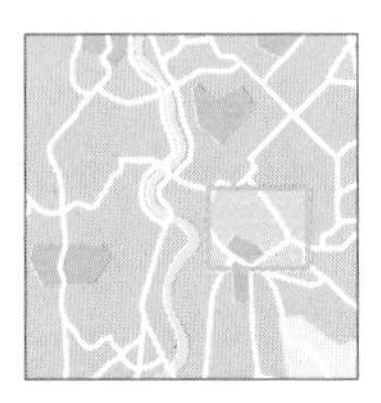

DA ROMOLO E REMO

CANNAVOTA

Restaurants

Da Romolo e Remo (F E4)
→ *Via Pannonia, 22/26*
Tél. 06 7720 81 87
Mar.-dim. 12h-15h, 19h-1h
Deux grandes salles, une décoration très sobre "à l'ancienne" et de grandes tablées qui sont la garantie d'une soirée animée. Le point fort ? L'interminable carte : 38 pizzas, 44 *primi*, 36 *secondi* et 22 desserts ! Un défi est lancé aux amateurs : repas gratuit pour toute personne capable de déguster 18 *primi* ! Menus de poisson ou de viande à partir de 25 €.

Isidoro (F D2)
→ *Via San Giovanni in Laterano, 59a*
Tél. 06 700 82 66
Tlj. 12h-15h, 20h-23h30, sam. 20h-23h30
Après 50 ans de bons et loyaux services au n° 23 de la via Ostilia, Isidoro prend ses aises dans de nouveaux locaux. Le lieu reste réputé pour ses sublimes *risotti* (aux fraises ou aux orties) et ses pâtes dont les *ravioli al burro e salvia* (beurre et sauge). En *secondi* : abats, rôtis de veau, poissons. Pour terminer, une subtile alliance : *scamorza e miele* (fromage et miel). Carte 15/17 €.

Cannavota (F F3)
→ *Piazza San Giovanni in Laterano, 20*
Tél. 06 7720 50 07
Lun.-mar., jeu.-dim. 12h30-15h, 19h45-23h
Fermé en août
Une grande salle haute de plafond et lumineuse, une déco rustique un peu vieillotte. Aux murs, quelques photos de personnalités qui ont défilé ici depuis 1962. Très bons *antipasti misti*, émouvants *cannelloni alla Canova* (champignons et fruits de mer) et merveilleux risotto aux fruits de mer. Service rapide et sympathique, plats copieux. 25 €. Réservation conseillée.

Il Tempio di Iside (F E2)
→ *Via Pietro Verri, 11*
Tél. 06 700 47 41
Lun.-sam. 13h-15h, 19h30-23h
Cuisine de la mer et quelques recettes sardes. Bon carpaccio de saumon, thon fumé ou salade de poulpe en *antipasti*. En *primi* : *linguine* aux crevettes, langoustines et praires

K OFF — DOME ROCK CAFE — MERCATO DI VIA SANNIO

ou *gnocchetti* aux gambas et pointes d'asperge. Plats de poissons : turbot, daurade aux artichauts et pommes de terre. Menu à partir de 20 €

GLACIER, CAFÉ

Antica Gelateria De Matteis (F D3)
→ *Via Celimontana, 34*
Tél. 06 704 529 36
Tlj. 12h-0h
Sur le Celio, un petit glacier artisanal né il y a 50 ans. Quelques parfums audacieux : *Filadelfia* (fromage frais), *funghi porcini* (cèpes) et *limoncello* (liqueur de citron). À partir de 1,60 € le cornet.

Il Kiosko (F D2)
→ *Parco Oppio*
Dans le parc du Colle Oppio, autour d'un kiosque à musique, juste quelques tables éparpillées çà et là. Glaces, boissons fraîches, pour une agréable pause dans un cadre magique avec vue plongeante sur le Colisée.

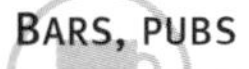

BARS, PUBS

Shamrock (F D2)
→ *Via Capo d'Africa, 26d*
Tél. 06 700 25 83
Tlj. 19h-1h30
Un pub irlandais classique : 6 bières pression (dont Guinness et Kilkenny), whiskies, cidre. Une scène en fond de salle accueille quelques groupes locaux. Retransmission de match de foot. Les mer. et le jeu. soir, diffusion de films DVD (en italien ou en anglais) sur demande. Juste à côté (Via Ostilia, 30A), une annexe, plus calme et plus lumineuse. Clientèle étudiante.

Kick Off (F D1)
→ *Via delle Terme di Traiano, 4a*
Tél. 06 489 043 43
Mar.-dim. 20h-1h30
Le club-house d'un ancien complexe sportif s'est mué en un très beau bar aux allures de pub anglais. Plafond bas, canapés, tables en demi-cercle et petits box plus intimes. Contre les murs, d'antiques maillots de la Roma et de la Lazio et quelques paires de vieilles chaussures de foot. Ambiance feutrée l'après-midi, beaucoup plus animée le soir lorsque démarre la musique *live* (70's, 80's, house). Petite restauration. Grande terrasse dans un cadre de verdure magnifique (on est à deux pas du parc des Terme di Traiano). Location possible de 2 terrains de *calcetto* (foot à 10) pour 62 € de l'heure (6,20 €/pers.).

Dome Rock Cafe (F F3)
→ *Via Domenico Fontana, 16/18*
Tél. 06 704 524 36
Mar.-ven. 10h30-2h, sam.-lun. 17h-2h
Près de la Piazza San Giovanni, un ancien dépôt transformé en bar. Vitraux, éclairage à la bougie, chandeliers fauteuils en fer forgé... Une déco post-industrielle à la new-yorkaise réhaussée de touches gothiques ! Expositions régulières de photos ou de peintures de jeunes artistes. Jazz les 3 premiers jours de la semaine ; house et pop music en fin de semaine. Nombreuses bières (dont une très bonne marque tchèque) et 40 whiskies à la carte. *Happy hour* jusqu'à 22h30. Attention, mieux vaut venir tôt, le bar est toujours bondé !

Robbivecchio (F E-F4)
→ *Via Gallia, 78*
Tél. 06 704 509 40
Lun.-sam. 12h-16h, 20h-0h
Un pub-restaurant irlandais aux airs de brocante, quelques vieilles photos plutôt osées accrochées aux murs. Au rez-de-chaussée, on peut discuter calmement à la lueur de quelques bougies. Au-dessus, c'est un peu plus difficile, l'animation bat son plein : musique, karaoké. Petite restauration.

SHOPPING

Mercato di Via Sannio (F F4)
→ *Lun.-ven. 10h-13h, sam. 10h-14h (jusqu'à 18h nov.-avril)*
Adossé au mur d'Aurélien, une sorte de souk, formé de 3 allées couvertes, rassemble vêtements neufs et de seconde main, chaussures, sacs et tout un bric-à-brac d'objets. Un "Porta Portese" miniature, mieux organisé et très bien approvisionné. Très bonnes affaires possibles. Ne pas hésiter à marchander.

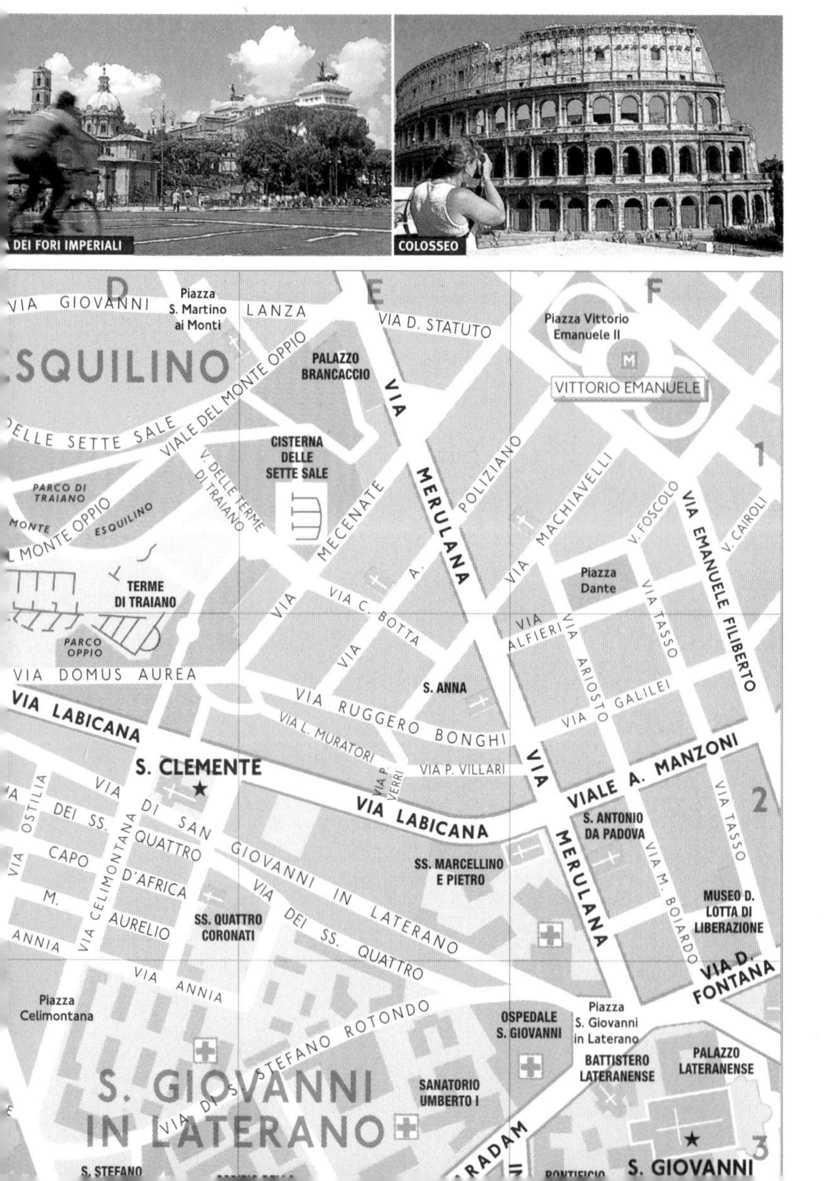
DEI FORI IMPERIALI
COLOSSEO
D
E
F
1
2
3
VIA GIOVANNI LANZA
Piazza S. Martino ai Monti
VIA D. STATUTO
Piazza Vittorio Emanuele II
M
VITTORIO EMANUELE
ESQUILINO
VIALE DEL MONTE OPPIO
PALAZZO BRANCACCIO
VIA MERULANA
DELLE SETTE SALE
CISTERNA DELLE SETTE SALE
V. DELLE TERME DI TRAIANO
POLIZIANO
VIA MACHIAVELLI
V. FOSCOLO
VIA EMANUELE FILIBERTO
V. CAIROLI
PARCO DI TRAIANO
MONTE OPPIO
ESQUILINO
VIA MECENATE
VIA C. BOTTA
TERME DI TRAIANO
Piazza Dante
VIA TASSO
VIA ALFIERI
VIA ARIOSTO
PARCO OPPIO
VIA DOMUS AUREA
S. ANNA
VIA RUGGERO BONGHI
VIA GALILEI
VIA LABICANA
VIA L. MURATORI
S. CLEMENTE
VIA P. VILLARI
VIA P. VERRI
VIALE A. MANZONI
VIA OSTILIA
VIA DEI SS. QUATTRO
VIA DI SAN GIOVANNI IN LATERANO
VIA CAPO D'AFRICA
VIA CELIMONTANA
S. ANTONIO DA PADOVA
SS. MARCELLINO E PIETRO
VIA M. BOIARDO
M. AURELIO
ANNIA
SS. QUATTRO CORONATI
MUSEO D. LOTTA DI LIBERAZIONE
VIA D. FONTANA
VIA ANNIA
Piazza Celimontana
VIA DI S. STEFANO ROTONDO
OSPEDALE S. GIOVANNI
Piazza S. Giovanni in Laterano
BATTISTERO LATERANENSE
PALAZZO LATERANENSE
S. GIOVANNI IN LATERANO
SANATORIO UMBERTO I
S. STEFANO
S. GIOVANNI

GIOVANNI IN LATERANO

TERME DI CARACALLA

rea), la Domus
gustana, le stade, les
sques de la Casa di Livia.
Colosseo (F C2)
Piazza del Colosseo
06 700 42 61 Tlj. 9h-
30 (15h en hiver) Prix 8 €
plus bel amphithéâtre du
nde romain. En 80, Titus
augura par 100 jours de
x qui coûtèrent la vie à
00 gladiateurs et 900
es. Sur 3 niveaux,
000 spectateurs
istaient au spectacle,
tégés du soleil par une
e tendue au-dessus de
ène. Sous l'arène, un
eau de souterrains
itait machinerie, cages
lécors.

★ **Domus Aurea (F D2)**
→ *Via della Domus Aurea*
Tél. 06 39 96 77 00 Tlj. sauf mar. 9h-19h45 (dernière entrée 1h avant la fermeture) Prix 5 €
Dans un parc qui occupait le quart de la surface de la ville, Néron se fit bâtir une “villa Dorée” à la mesure de sa mégalomanie. Au début du XVIe siècle, on découvre sur le Colle Oppio, des “grottes” ornées de fresques magnifiques qui inspireront nombre d'artistes de la Renaissance et donneront naissance aux “grotesques”.

★ **San Clemente (F D2)**
→ *Via di Sant Giovanni in Laterano Tél. 06 70 45 10 18*
Lun.-sam. 9h-12h30, 15h-18h, dim. 10h-12h30, 15h-18h
Prix 3 € (crypte)
17 siècles d'architecture superposés ! Derrière la façade du XVIIIe s., l'église du XIIe s. dévoile dans le chœur une stupéfiante mosaïque. De la sacristie, on descend dans la 1re basilique du IVe s. (fresques des IXe, XIe, XIIe s.). Au fond de la nef, un escalier mène au site romain (Ier s.).

★ **San Giovanni in Laterano (F F3)**
→ *Piazza S. Giovanni in Laterano, 4 Tél. 06 69 88 64 52*
Tlj. 7h-19h30
La cathédrale de Rome (siège de la papauté jusqu'au XVe s.), édifiée sur une basilique du IVe s. Ses réaménagements successifs en font un vrai puzzle architectural : façade du XVIIIe s., plafonds de bois sculpté du XVIe s., mosaïque de l'abside et cloître du XIIIe s. Mosaïques des IVe-Ve s. dans le baptistère, remodelé au XVIIe s.

★ **Terme di Caracalla (F C4)**
→ *Via delle Terme di Caracalla, 52*
Tél. 06 575 86 26
Lun. 9h-13h, mar.-dim. 9h-18h30 Prix 5 €
Les mieux conservés des thermes impériaux.

Liaisons aéroports - Rome

De Fiumicino
En train
→ *Départ toutes les heures 8,78 € (30 min)*
La ligne "FS" rejoint la gare Termini.
Taxi
→ *35 € (45 min)*
De Ciampino
Bus Cotral
→ *Départ ttes les 30 min 0,77 € (30 min)*
Dessert la station Anagnina (Métro A), d'où l'on peut ensuite rejoindre la gare Termini.
Taxi
→ *25/30 € (30 min)*

AÉROPORT DE FIUMICINO

GARE TERMINI

Trains, gares

Termini, la gare des trains nationaux et internationaux. Les autres gares sont dans l'ensemble dévolues à des lignes régionales, nationales ou inter-régionales. Informations N° vert : 848 88 80 88
Stazione Centrale Roma Termini (E F2)
→ *Piazza dei Cinquecento*
Tél. 06 48 44 03
Roma Tiburtina
→ *Tél. 06 47 30 71 84*
Roma Ostiense
→ *Tél. 06 47 30 51 23*
Trastevere
→ *Tél. 06 47 30 50 34*
Flaminio
→ *Tél. 06 361 04 41*

Sdb. dans toutes les chambres. 80 €. Grandes chambres pour 4 pers. 110 € (petit-déj. : 6 €).
Albergo della Lunetta (A D4)
→ *Piazza del Paradiso 68*
Tél. 06 687 76 30
Juste derrière le Campo dei Fiori. Chambres très simples, sdb. à l'étage. Certaines ont vue sur Sant'Andrea della Valle. 83-109 €.
Arenula (C D2)
→ *Via di Santa Maria de' Calderari, 47*
Tél. 06 687 94 54
Un hôtel simple, confortable, décoré dans de jolis tons gris et blancs. Chambres impeccables. 88-119 € avec petit-déj.
Pensione Panda (A E1)
→ *Via della Croce, 35*
Tél. 06 678 01 79
Une pension familiale qui occupe 2 étages d'un immeuble XVIIe siècle à 50 m de la Piazza di Spagna.

12 chambres sobres et impeccables avec sdb. 88-93 € (sans petit déj.).
Abruzzi (A D3)
→ *Piazza della Rotonda, 69*
Tél. 06 679 20 21
Un *palazzo* à la façade ocre. 25 chambres modestes donnant sur une cour ou la place du Panthéon (plus bruyantes). Sdb. à l'étage. 95 € sans petit-déj.

100-140 €

Navona (A D3)
→ *Via dei Sediari, 8*
Tél. 06 686 42 03
Dans un palazzo construit sur les ruines d'un théâtre romain. Détail amusant : les chambres n° 1 à 5 ont été aménagées dans les loges des artistes, la n° 24 dans les bains d'Agrippine. Grande table pour un petit-déj. au coude à coude. 100 € avec petit-déj. (125 € avec air conditionné).

Albergo Pomezia (A D4)
→ *Via dei Chiavari, 12*
Tél. 06 686 13 71
Jolie réception, petite salle pour le petit-déj. et bar. 25 chambres modestes dont 20 avec sdb. 100-125 € avec petit-déj.
Campo dei Fiori (A C4)
→ *Via dei Biscione, 6*
Tél. 06 6880 68 65
27 chambres sobres, dont 9 avec sdb. Appartements de 2 à 5 pers. (230 €). Tout en haut, terrasse avec vue panoramique à 360°. Transats à disposition. 100-140 € selon la saison avec petit-déj.
Pensione Barrett (A D4)
→ *Largo Torre Argentina, 47*
Tél. 06 686 84 81
Au 2e étage d'un joli *palazzo* donnant sur le champ de ruines de l'Area Sacra. Juste rénové. 20 petites chambres impeccables. 101 € avec petit-déj.

Villa San Pio (C D5)
→ *Via di Santa Melania, 19*
Tél. 06 574 35 47
Une villa de campagne perdue en pleine verdure. Décoration champêtre, jeu de teinte ocres et lilas. 65 chambres confortables, petit-déj. dans un petit jardin sur lequel ouvrent certaines chambres. 104-117 € avec petit-déj.
Sant'Anselmo (C D4)
→ *Piazza di Sant'Anselmo,*
Tél. 06 578 32 14
Près du Circo Massimo, 46 chambres immergées en pleine nature. Agréables espaces communs, chambres lumineuses, toutes différentes, avec vue sur la ville pour celles des étages supérieurs. petit-déj. compris, servi dans le jardin à l'ombre des orangers. 104-166 €.
Aventino (C D4)
→ *Via di San Domenico, 10*
Tél. 06 574 52 31
Pour se retirer au calme

AÉROPORTS

Informations
2 aéroports internationaux.
Leonardo da Vinci-Fiumicino
→ *Tél. 06 659 51*
Tlj. 24h/24
Situé à 28 km au sud-ouest de la ville.
G.B. Pastine-Ciampino
→ *Tél. 06 79 49 41*
Tlj. 24h/24
À 15 km au sud-est de Rome. Réservé aux vols charters.
Vols et réservations au départ de France
Air France
→ *Tél. 0820 820 820*
Alitalia
→ *Tél. 0802 315 315*

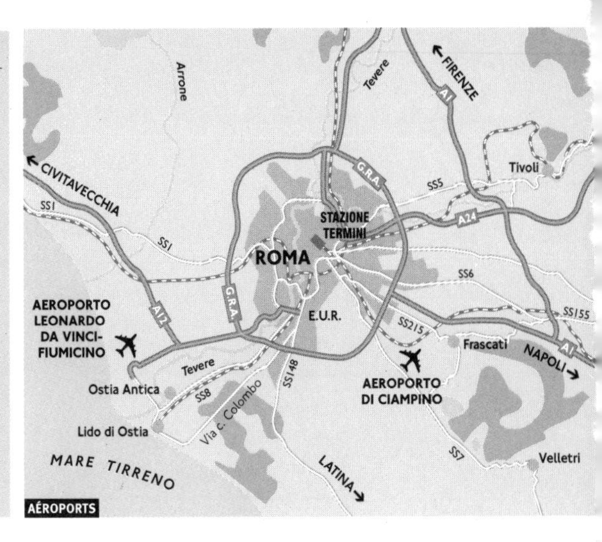

AÉROPORTS

Sauf indication contraire, les prix sont indiqués TTC et correspondent à ceux d'une chambre double avec salle de bains (sdb.). Compter environ 30 % moins cher pour une chambre sans sdb. La plupart des hôtels pratiquent des prix moins élevés en basse saison (nov.-jan., juil.-août). Ne pas hésiter à négocier. L'offre hôtelière à Rome est très vaste, mais très coûteuse. Pour bénéficier d'un meilleur rapport qualité/prix, s'éloigner du centre historique : à prix égal, on peut trouver quelques adresses offrant des prestations supérieures.

- DE 50 €

Campings
8,50 €/pers. (basse saison), 9,50 €/pers. (haute saison).
Camping Flaminio
→ *Via Flaminia Nuova, 821*
Tél. 06 333 26 04
Fermé jan.-mars
Camping de 600 places, à 6 km au nord de la ville.
Auberges de jeunesse
Ostello per la gioventù A.F. Pessina
→ *Via delle Olimpiadi, 61*
Tél. 06 323 62 67
Près du Foro Italico. 334 lits en dortoir. Jardin, restaurant, bar. Adhésion obligatoire (possible sur place). 15 €/pers. avec petit déj. compris.
YWCA (E D2)
→ *Via Cesare Balbo, 4*
Tél. 06 488 39 17
À proximité de la gare Termini. 1 à 4 lits par chambre. Couvre-feu à minuit. 31 €/pers. en chambre double avec petit-déj.
Couvents
Centre pastoral d'accueil
→ *Via Santa Giovanna d'Arco, 10 Tél. 06 6880 38 15 Fax 06 683 23 24 Lun.-ven. 10h-12h30, 14h30-17h*
Peut aider à trouver un logement dans un couvent (couvre-feu entre 22h et 23h, hommes et femmes séparés) pour env. 35-40 €/pers. en chambre double. Envoyer une demande écrite par fax.
Fawlty Towers (E F2)
→ *Via Magenta, 39*
Tél. 06 445 03 74
Chambres individuelles ou en dortoir appréciées d'une clientèle jeune et de passage. Un confort minimal compensé par une ambiance familiale et attentionnée. Une des petites adresses les plus fiables du quartier de Termini. 18-23 € en dortoir (72 € la double avec sdb).

50-100 €

Bed & breakfast
Listes disponibles auprès de la chambre de commerce et dans les kiosques d'information de l'APT. 60-100 €/pers./nuit.
Camera di Commercio (A E3)
→ *Via de Burrò, 147*
Tél. 800 76 81 70 Lun.-ven. 9h-13h, 14h-17h Site Internet www.promoroma.com/b&b
Adresses contrôlées par la chambre de commerce. 60-100 € par pers. et par nuit.
Hotel Perugia (F C1)
→ *Via del Colosseo, 7*
Tél. 06 679 72 00
Un prix très raisonnable compte tenu de la proximité du Colisée. Propreté et efficacité sont les mots d'ordre de l'établissement. 77,50-95,50 € avec petit-déj.
Casa Kolbe (F A2)
→ *Via San Teodoro, 44*
Tél. 06 679 49 74
Dans une calme ruelle adossée au Palatin. Spacieux, climatisé, déco années 1950.

Rome : lignes de métro et de chemin de fer

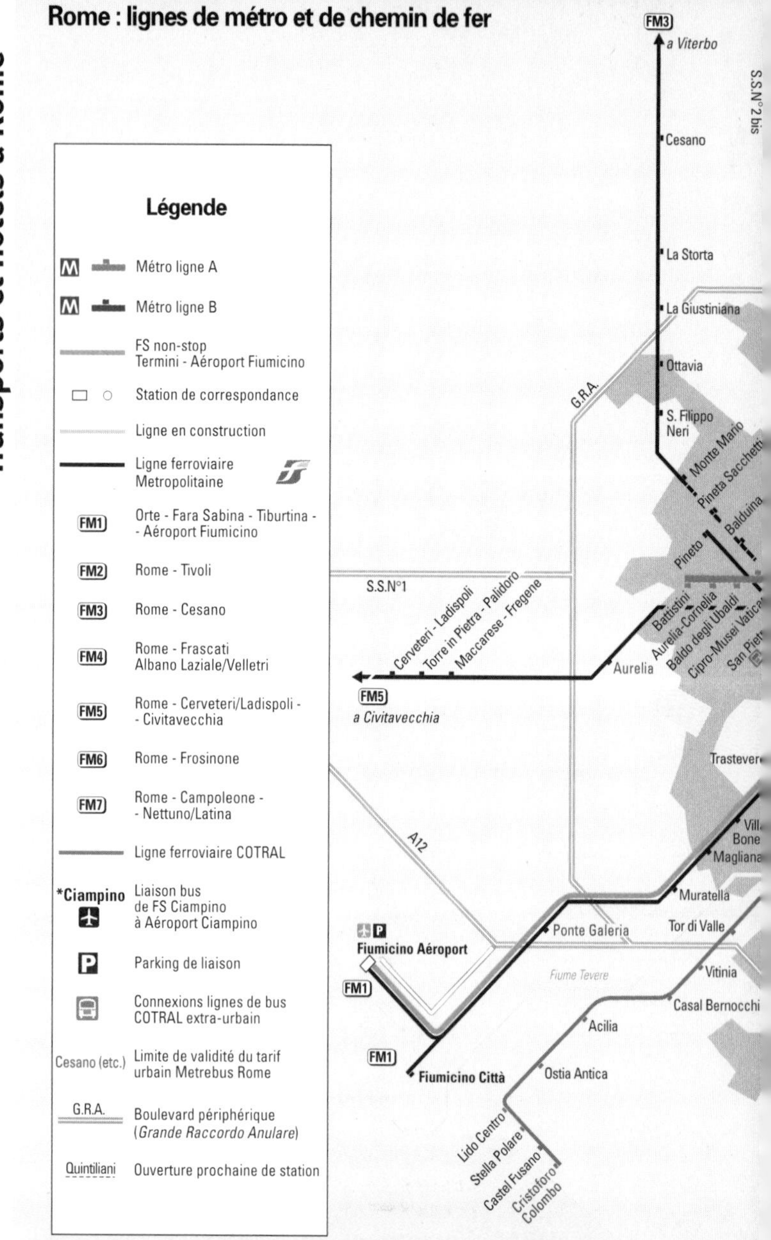

a Civita Castellana - Viterbo
FM1
a Orte
Fara Sabina
Piana Bella di Montelibretti
Monterotondo
Fiume Tevere
A1 dir.
Sacrofano
La Giustiniana
Prima Porta
La Celsa
Labaro
Settebagni
Centro Rai
Saxa Rubra
Grottarossa
Fidene
G.R.A.
Due Ponti
Tor di Quinto
Nuovo Salario
Monte Antenne
Campi Sportivi
Acqua Acetosa
Nomentana
Euclide
Valle Aurelia
Ottaviano-San Pietro
Bologna
Tiburtina
Quintiliani
Monti Tiburtini
Rebibbia
Ponte Mammolo
S. Maria del Soccorso
Pietralata
Spagna
Barberini
Repubblica
A24
Lepanto
Flaminio
Policlinico
Castro Pretorio
Termini
Prenestina
Fiume Aniene
Cavour
Laziali
Porta Maggiore
Tor Sapienza
La Rustica
Salone
Lunghezza
Bagni di Tivoli
Guidonia
FM2
a Tivoli
Colosseo
Circo Massimo
Vittorio E.
Manzoni
S.Giovanni
Re di Roma
Ponte Lungo
Alessi
Tor Pignattara
Centocelle
Togliatti
Torre Spaccata
Torre Maura
Piramide
Ostiense
Garbatella
Tuscolana
Furio Camillo
Colli Albani
Giardinetti
Torrenova
Torre Angela
Torre Gaia
Grotte Celoni
Fontana Candida
Borghesiana
Finocchio
Pantano
Basilica S.Paolo
Arco di Travertino
Porta Furba-Quadraro
Numidio Quadrato
Lucio Sestio
Giulio Agricola
Subaugusta
Cinecittà
Capannelle
Anagnina
Marconi
EUR Magliana
A1 dir.
Colle Mattia
EUR Palasport
EUR Fermi
Laurentina
FM6
a Frosinone
Torricola
*Ciampino
FM4
Frascati
G.R.A.
Casabianca
Acqua Acetosa
Santa Maria d. Mole
Sassone
Pavona
Pantanella
Cancelleria
Marino
Cecchina
Castelgandolfo
Villetta
Pomezia-S. Palomba
Lanuvio
Albano Laziale
FM4
S.S.N°7
S. Eurosia
Velletri
FM4
S.S.N°148
a Nettuno/Latina
FM7

DEUX ROUES

Vélo
Domaine cyclable en cours d'extension.
Scooter
Idéal pour éviter les embouteillages. Casque dorénavant obligatoire (attention, nombreux contrôles).
Locations
Happy Rent (E C4)
→ *Via Farini 3*
Tél. 06 481 81 85 Tlj. 9h-19h
Location de scooters 38-55 €/j.
Romarent (A C4)
→ *Vicolo dei Bovari, 7A*
Tél. 06 689 65 55
Tlj. 8h30-18h30
Vélo : 9-12 €/j.
Scooter : 32-50 €/j.

TAXIS

Les taxis officiels sont de couleur jaune ou blanche, et portent l'enseigne "taxi" sur le toit. Nombreuses stations.
Tarifs
Prise en charge
→ *2,33 € les 3 premiers km, puis 0,78 €/141 m.*
Suppléments
1,04 € par bagage, 4,91 € de 22h à 7h, 3,36 € les jours fériés de 7h à 22h.
Pourboire
10 % du prix de la course.
Radio-taxis
Nueva Eurocosmo
→ *Tél. 06 881 77*
Società la Capitale
→ *Tél. 06 49 94*
Società cooperativa Autoradiotaxi Roma
→ *Tél. 06 35 70*

VOITURE

Peu recommandée en raison de la mauvaise circulation, de la rareté des parkings et de la sévérité des règles de stationnement. Les Romains lui préfèrent le scooter.
Vitesse
Limitée à 130 km/h sur l'autoroute, 90 km/h sur les nationales et 50 km/h en ville.
Stationnement
Payant (pièces ou cartes, en vente dans les bureaux de tabac).
→ *1 €/h*
Fourrière
Les voitures enlevées sont récupérables contre une lourde amende.
→ *Tél. 06 676 91 (police)*

pour cet hôtel accueillant. Décoration classique, 29 chambres avec toutes les commodités. L'hiver, petit-déj. dans une belle salle voûtée ; l'été, sous une pergola envahie de verdure odorante.
160-186 € avec petit-déj.
Bramante (B D2)
→ *Vicolo delle Palline, 24/25*
Tél. 06 687 98 81
Un très bel hôtel ! Une décoration sobre et élégante, 16 chambres de caractère décorées avec beaucoup de goût par la propriétaire. Têtes de lit en fer forgé, joli mobilier. Terrasse. 170-192 € (selon saison) avec petit-déj.
Teatro di Pompeo (A C4)
→ *Largo del Pallaro, 8*
Tél. 06 68 30 01 70
Un hôtel bâti sur les fondations de l'antique théâtre romain du général et consul Pompée. 12 chambres particulièrement élégantes dotées d'un confort moderne (air conditionné). Cour intérieure pour s'abriter du brouhaha de la ville, salle de restaurant d'où l'on peut contempler les ruines.
190 € avec petit-déj.

+ DE 200 €

Hôtel Celio (F D2)
→ *Via dei Santi Quattro, 35C*
Tél. 06 7049 53 33
Derrière le Colisée, une petite maison à la décoration cossue : un curieux mais sympathique mélange de styles (rococo, Art nouveau). Miroirs, fresques ou trompe-l'œil... 19 chambres personnalisées.
240 € avec petit-déj.

PALACES

Pour profiter du charme d'un palace le temps d'un verre ou d'un petit-déj.
Hotel Raphaël (A C3)
→ *Largo Febo, 2*
Tél. 06 68 28 31
Une cascade de lierre en façade et une immense terrasse au calme d'une ruelle pavée. Le hall se visite comme un musée : statues antiques, sculptures modernes...
354-369 €.
petit-déj. 23 €.
Majestic (D E4)
→ *Via Vittorio Veneto, 50*
Tél. 06 42 14 41
Une récente rénovation a donné naissance à un joyau, jeu subtil entre moderne et ancien : voûtes peintes à fresque (salon Verdi), murs tendus de soie damassée, meubles anciens.
460-570 €.
petit-déj. 23 €.

ꓤANSPORTS
ɿ COMMUN

ɿnte des tickets
Tabacs, gares, métro, ɔsques (logo ATAC)
s de vente dans le bus ɜuf bus de nuit).
rifs
ême ticket pour les bus, ɪmways et métro.

Ɩ (Biglietto Integrato Ɩempo)
0,77 € (75 min)
G (Biglietto ɪtegrato Giornaliero)
3,10 € (1 jour)
ɾfaits
12,40 € (1 sem.), ,80 € (1 mois)
étro (Cotral)
ɪux lignes qui se ɔisent à la gare Termini.
ɡne A (rouge)
Tlj. 5h30-23h30
ɪttistini-Anagnina.
ɡne B (bleue)
Lun.-ven. 5h30-23h30, ɱ.-dim. 5h30-0h30
bibbia-Laurentina.
ɪs et tramway (ATAC)
Tlj. 5h30-0h
ʳ la plupart des lignes
s de nuit
Tlj. 0h-5h30
de bus suivi d'un N.
ɪs électriques
ɪns le *centro storico* ɡnes 115-116-117-119).
ɪnseignements (B D2)
Piazza del Risorgimento
06 46 95 22 56, tlj. 8h-19h

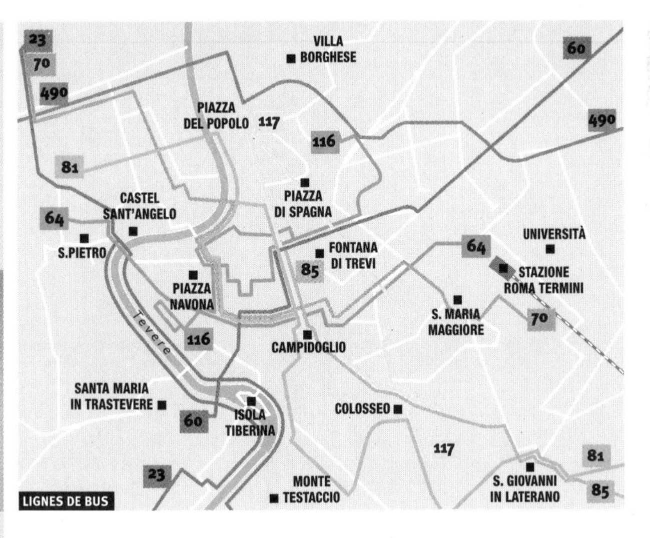

dans une petite villa immergée dans la végétation. 18 chambres confortables, lumineuses et décorées avec soin. Accueil familial. 109 €.

Smeraldo (C C2)
→ Vicolo dei Chiodaroli, 9
Tél. 06 687 59 29
Un hôtel moderne et sobre tout près du Campo dei Fiori. 35 chambres rénovées et équipées (climatisation). Terrasse, chambres avec balcon. Accueil en français, espagnol, allemand ou anglais. 114 €.

Grifo (E C3)
→ Via del Boschetto, 144
Tél. 06 4871 39 55
Pour ses magnifiques terrasses (communes ou privatives) avec vue sur les jardins suspendus des immeubles alentours. Chambres impeccables, très lumineuses. 120-140 € selon saison. Chambres pour 3 pers., à partir de 160 €.

Nerva (E B4)
→ Via Tor de' Conti 3
Tél. 06 678 18 35
Petit hôtel impeccable au confort contemporain. 19 chambres spacieuses et lumineuses (récemment rénovées). Particulièrement agréables : celles dotées de poutres apparentes ou mezzanine. 130-216 € (selon saison) avec petit-déj.

Residenzia Zanardelli (A C2)
→ Via G. Zanardelli, 7
Tél. 06 6821 13 92 (rés.)
En haut de la fameuse Piazza Navona, dans un somptueux palais baroque de la fin du XVIIIe siècle. Murs blancs, ferronneries vert bronze et 4 chambres équipées (avec air conditionné), toutes joliment décorées dans des tons verts. 135 € avec petit-déj. Attention : pas de cartes de crédit.

140-200 €

Rinascimento (A C4)
→ Via del Pellegrino, 122
Tél. 06 687 48 13
Proches du Campo dei Fiori, 19 chambres plutôt spacieuses (entièrement rénovées). 144,61-170 € (selon saison) avec petit-déj.

Domus Aventina (F A4)
→ Piazza di Santa Prisca, 11b
Tél. 06 574 61 35
Une façade XVIIe siècle, un hall voûté orné de fresques et 26 grandes chambres. Celles avec balcon ou terrasse donnent sur le jardin mitoyen du cloître de la belle église Santa Prisca. 155-205 € (selon saison).

Hotel Trevi (E A2)
→ Vicolo del Babuccio, 20/21
Tél. 06 678 95 63
Dans une ruelle située à proximité de la fontaine. Une jolie façade fleurie

Les lettres **(A, B, C...)** correspondent au quartier du même nom.
La lettre seule renvoie à une adresse (restaurants, cafés, bars, boutiques).
Suivie d'une étoile **(A★)**, elle se rapporte à un site ou à un monument.
Le chiffre **(1)** renvoie au module Bienvenue à Rome !

Achats

Alimentation

Cafés, glaciers

Cuisine italienne

Cuisine régionale italienne

Cuisine du monde

Sorties